catalan

CW 0108 1347

W0006011

teach yourself®

catalan
anna poch
and
alan yates

For over 60 years, more than 50 million people have learnt over 750 subjects the **teach yourself** way, with impressive results.

be where you want to be
with **teach yourself**

For UK order enquiries: please contact Bookpoint Ltd, 130 Milton Park, Abingdon, Oxon, OX14 4SB. Telephone: +44 (0) 1235 827720. Fax: +44 (0) 1235 400454. Lines are open 09.00–17.00, Monday to Saturday, with a 24-hour message answering service. Details about our titles and how to order are available at www.teachyourself.co.uk

For USA order enquiries: please contact McGraw-Hill Customer Services, PO Box 545, Blacklick, OH 43004-0545, USA. Telephone: 1-800-722-4726. Fax: 1-614-755-5645.

For Canada order enquiries: please contact McGraw-Hill Ryerson Ltd, 300 Water St, Whitby, Ontario, L1N 9B6, Canada. Telephone: 905 430 5000. Fax: 905 430 5020.

Long renowned as the authoritative source for self-guided learning – with more than 50 million copies sold worldwide – the **teach yourself** series includes over 500 titles in the fields of languages, crafts, hobbies, business, computing and education.

British Library Cataloguing in Publication Data: a catalogue record for this title is available from the British Library.

Library of Congress Catalog Card Number: on file.

First published in UK 2004 by Hodder Education, 338 Euston Road, London, NW1 3BH.

First published in US 2004 by The McGraw-Hill Companies, Inc.

This edition published 2004.

The **teach yourself** name is a registered trade mark of Hodder Headline.

Typeset by Transet Limited, Coventry, England.
Printed in Great Britain for Hodder Education, a division of Hodder Headline, 338 Euston Road, London, NW1 3BH, by Cox & Wyman Ltd, Reading, Berkshire.

The publisher has used its best endeavours to ensure that the URLs for external websites referred to in this book are correct and active at the time of going to press. However, the publisher and the author have no responsibility for the websites and can make no guarantee that a site will remain live or that the content will remain relevant, decent or appropriate.

Hodder Headline's policy is to use papers that are natural, renewable and recyclable products and made from wood grown in sustainable forests. The logging and manufacturing processes are expected to conform to the environmental regulations of the country of origin.

Impression number   10 9 8 7 6 5
Year   2010 2009 2008 2007 2006

contents

acknowledgements

The authors are grateful to Rebecca Green and Virginia Catmur of Hodder & Stoughton Educational, for their encouragement and sound advice throughout all the stages of preparation of this book. Thanks are also due to Helen Hart who carefully read the typescript and made a number of most helpful suggestions for improvement; and to the voices on the recording – Elisenda Marcer i Cortés, Carme Rodríguez i Arenas, Jordi Sánchez i Carrión, Sarah Sherborne, Jordi Vilaró i Berdusan.

The authors and publishers wish to thank the following for permission to reproduce their copyright material: *Avui* newspaper; Vilaweb; the Departament de Sanitat i Seguretat Social of the Generalitat de Catalunya, and Sergi Pàmies through Editorial Quaderns Crema. Thanks also to Joan Nadal who kindly and sympathetically produced various pieces of artwork for this project; to various other friends who responded to enquiries and requests for material; and to Nita, Joan and Aleix.

Finally, we are indebted to Oier Bikondoa, without whose magnanimous support the project might have foundered and to whom this book is dedicated: Catalona gure hizkuntza bihurtzeagatik, eskerik asko.

Where Catalan is spoken

introduction

Welcome to *Teach Yourself Catalan*

The fact that you are planning to use this book most probably means that you already have an interest in or curiosity about Catalan. You may already know something about where the language is spoken, about its history and its status in the wider family of European language communities. Space is not available here to go into these matters, and for essential background information of this kind you are referred to the titles listed in our section **Taking it further**. Initially, though, a glance at the map opposite will give a picture of where Catalan is spoken.

Of a population of almost 11 million people some 6 million have Catalan as their mother tongue, while a further 3 million can understand and potentially use the language. The geographical distribution and the statistics are relevant to the status of Catalan as one of the most prominent of Europe's 'minority' languages, and also to the condition of the Catalan-speaking community as a 'stateless nation'. These are not political abstractions. The more you are able to enjoy communicating directly with Catalan-speakers the more you will become aware of the *fet diferencial* – the 'differential factor' founded in a commitment to their *own* language – and how large this looms in their sense of identity and collective outlook.

You will be reassured to be told, at this point, that *Teach Yourself Catalan* starts 'from scratch' and that the method you will be following presupposes no previous knowledge of this language and little or no previous experience of formal language study.

About this course

Using printed material alone to 'teach yourself' a new language can be quite an uphill struggle. Success can be achieved, of course, and this book has been designed so that it can be used by those who choose to or have to study in this way. Some people may be lucky and be able to count on having contact with the living language through native speakers among their acquaintances who are prepared to give them help, or they may be studying in a 'total immersion' situation, residing, in this case, in a place where Catalan is spoken. Such conditions may also be enjoyed, perhaps, and be a bonus for the student who is using both the book and the recorded material. We should also say here that no opportunity should be lost to attend classes in the language if these are available. This course has been designed so that it can work either as a self-study complement to organized tuition or even as a course book for use by a class. The idea of 'teaching yourself', though, is our basic philosophy and method.

The importance of the recordings as the starting point for each unit of the course has already been alluded to. Here you have the opportunity to listen to native speakers talking naturally in real-life situations. The type of language you are introduced to reproduces the features of 'standard' or 'general' Catalan, which is based, mainly, on the Central dialect of Barcelona and its region. The confines of this course do not allow coverage of the variations of dialect and accent which Catalan, like all languages, displays. Our map gives an initial picture of the principal dialectal divisions and some items in **Taking it further** will guide those who wish to pursue the matter. Suffice it to say, though, that the language you learn from this course will enable you to communicate freely with Catalan-speakers from whichever region, and that the written language is completely uniform.

The printed material of the course supplies transcriptions as required, vocabulary, explanations of grammatical points and cultural information necessary for you to understand fully the exchanges you can listen to on the recording. The complementary exercises then reinforce what you have studied in the dialogues, with additional vocabulary being introduced. This enables you to 'speak for yourself', communicating what you want to say, in the subject areas defined for each unit. The subject areas themselves reproduce real-life circumstances, combining situations familiar to foreign visitors with others where the perspective is that of the 'insider'. The various components of the course are integrated so that your competence is steadily developed in the four basic skills of listening and reading comprehension, speaking and writing.

How to work with the course and organize your study

Progression and other general features

The early units are carefully pitched at 'beginner's' level. From Unit 5 onwards, with the gentle guidance still continuing, the pace begins to accelerate and you are encouraged to use the framework of the course to assimilate basic structures and extend your own capacity. Rather as for an athlete, it is expected that by now you will have established quite a rigorous training schedule, the benefits of which are evident in ever improving performance. In the last six units you reach what is known as intermediate or 'threshold' level, where it is assumed that material from earlier stages has been fully assimilated and that you are now capable of stretching yourself further and further.

The course units

The general plan of the course and the structure of individual units is as follows:

Pronunciation and spelling

This preliminary section describes the main phonetic features of spoken Catalan and how the sounds of the language are reproduced in writing. The explanations given here will only make full sense when they are related to live examples, principally in the dialogues, as emphasized below. You are advised to keep referring back to this section as you practise 'speaking for yourself'. Most units contain an individual exercise which focuses on a particular feature of pronunciation. The symbol ▶ indicates that the recording is to be used for the section it refers to.

Dialogues

These are the backbone of the course. In the first place they present you with the sounds of Catalan in live contexts. You should study them carefully from this point of view, referring back to the introductory section **Pronunciation and spelling**. Working with a partner or in a group will obviously make it easier for you to 'act out' the dialogues, as is suggested in each unit. If working alone, however, you will still be able to get your ear attuned to spoken Catalan and have ample practice in pronunciation following a reliable model.

The dialogues provide vocabulary and expressions at work in the topic area upon which each unit is built. New vocabulary introduced in the dialogues is given in the vocabulary boxes, where translation of individual entries is 'slanted' towards their meaning in the particular context. An asterisk before an entry here means that this item is covered in the **Grammar** section of the unit.

Exercises

True or false (*Veritat o fals*), or a similar comprehension exercise, is a straightforward initial test of whether you have understood the main contents of the dialogues. More Catalan is gradually introduced in this exercise, in step with your developing competence in the language. To reinforce and extend the content of the dialogues, there are several ensuing **Exercises**, varied in format, where the practical objectives defined for each unit are further worked upon. Before tackling the exercises you should be sure that you fully understand the dialogues themselves and feel confident about moving on to working with related materials that test your own powers of response and ability to communicate.

These activities are designed not as simple 'brain teasers' but rather to encourage you to use Catalan in a range of practical situations. Unlike the dialogues (where guidance is essential for assimilating the material), the exercises are not accompanied by lists translating the new vocabulary they may introduce. This is done deliberately so that your powers of interpretation or deduction of meaning are fully stretched. You will probably be surprised at how much sense you can make of utterances or exchanges even when you have not 'learned' some of the words they contain. In this way you come to acquire new vocabulary in the most active and productive way. When you do decide that you need to check on the meaning of a particular word you can then refer to the final Catalan–English wordlist, which provides full coverage of all the vocabulary used in the exercises.

Interspersed between the exercises of each unit are various other sections which are integrated into the total method of study.

Key words and phrases

This section supplies a set of essential vocabulary and express-ions to serve as a kind of springboard into communication on topics closely tied to the stated objective of each unit.

Grammar

Here you are given straightforward explanations of the principal features of Catalan grammar as they are encountered in the dialogues (and further illustrated in the exercises). Specialized terminology is kept to a minimum, and where it is used, for economy of presentation, it is accompanied by clear illustration through examples. You will notice a steady progression as the description is gradually built up and as some of the issues involved become more demanding. The pace is deliberately restrained in the early units, to develop your ability to think about the language you are using in terms of its grammatical structures. After this point you are gently stretched further and grammatical explanations are made more complete. By the end of the course, for example, you will have been introduced to all the main tenses of Catalan verbs, will have seen the passive voice in action and will even have had a first introduction to use the subjunctive mood. You will also have acquired confidence in using object pronouns and even working with sentences in which two such pronouns are combined with a verb. This component of grammatical theory and explanation, though, is neither the starting point nor an end in itself of the method you are following. Rather it is integrated into the course, linked to the themes and expressive skills focused on in each unit, so that you acquire a secure formal basis for interpreting what you hear and read, and for being able to generate your own authentic Catalan.

Cultural information

This section is indicated with the symbol **i**. As we are aiming at linguistic competence in real-life situations, most units contain a brief explanation of a salient aspect of life, behaviour or culture in the Catalan-speaking areas. This information is designed to help you 'feel at home' when using the language.

Reading

From Unit 5 onwards a specific **reading** exercise is incorporated in some units, to reinforce this aspect of comprehension.

Key to the exercises

You will find this answer section is basically for self-correction as you are working through the course.

Reference tables

As the main grammar contents of the course are integrated progressively into the units, this section provides only a summary, in tabular form, of information about gender and number of nouns / adjectives, about weak pronouns in relation to the verb they accompany and about the conjugation of irregular verbs.

Vocabulary

The Catalan–English list brings together, for reference, all the main vocabulary that appears both in the dialogues and in the various exercises. Note again what is said above about words introduced in the exercises. Also provided is a short Catalan–English wordlist which should be useful as a reference tool of first resort in communicating what you want to say.

Taking it further

This section provides information about supplementary tools for study of the language, and sources for 'background' on the history of the language, Catalan society, culture and politics.

Index

This provides easy reference to information about grammatical features.

pronunciation and spelling

This section is designed to accompany the recorded materials of the course (see the Introduction). (If you do not have the recording you will still benefit from studying the guidelines given below.) All the examples given here can be heard and practised in the first part of the recording.

▶ Syllables and stress

Most Catalan words of one syllable are stressed (**grOs, sEt, vUit**), but **que** and **i**, articles (**el, la,** etc.), weak pronouns (**em, ens,** etc.) and some prepositions (**a, de, en, amb, per**) are pronounced without stress. You will notice how Catalan words of more than one syllable are stressed on one of the syllables: **cog-nOm, san-dA-li-es.** Also you will notice how certain vowels carry written accents. The two features are related. To understand it, you have to know that a Catalan word, generally, has as many syllables as it has vowels. Exceptions to this are:

a **qu** and **gu** before **e** and **i**, representing a single consonant like the hard *c* and *g* in English *cat* and *gun*: **quina, guerra.**

b Certain groups of two vowels, known as diphthongs, forming a single syllable: **sisplau, riu, ous.** Diphthongs are formed with a vowel + **i** (except **i** + **i**) and vowel + **u**. Other examples are: **espai, avui, teu.** Be careful because other two-vowel combinations, like **ia** or **ue** are not diphthongs, so they are pronounced as two syllables: **ve-ni-es, his-tò-ri-a, du-es.**

Without a written accent a word of more than one syllable will have the stress on the next-to-last syllable if the word ends with a vowel (excluding diphthongs), a **vowel + -s, -en** or

-in: **parlo, parles, parlen**. Otherwise stress will be on the final syllable: **parlem, parleu**. A written accent on a vowel indicates that these two principles do not apply, and that stress falls on the vowel carrying the accent: **màquina, església, acció, gimnàs**.

The diaeresis on **ü** or **ï** indicates that there is no diphthong involving the preceding vowel (**veí/veïna, país/països**) or (in the case of **gü** and **qü**) that the **u** is pronounced (like English *w*) before the following vowel (**qüestió, següent**).

▶ Vowels

Stressed vowels

a　　When stressed, Catalan **a** shows a sound between the *a* of standard English in *cat* and *father*: **pa, anys**. As this is always an open sound, letter **a** can take only a grave accent (**català, germà**) when stress has to be indicated in writing.

i and u　The sounds represented by **i** and **u** in stressed positions are always 'close' (pronounced with the lips slightly extended), and both can thus take only the acute accent (**matí, menú**). These vowels are pronounced, respectively, like *ee* in English *feet* and *oo* in English *hoot*: **mida, alguna**.

e and o　In the stressed position each of these vowels can represent either an open or a close sound. This is why these vowels can carry either a grave or an acute accent.

* Open **e** like the sound represented by *e* in English *get*, *bet*: **vostè, guerra**.
* Close **e** involves making a more 'forward' **e** sound, with the mouth becoming half-closed and the lips slightly extended: **bé, adéu, gens**.
* Open **o** like the sound represented by *o* in English *hot coffee*: **bona, però, història**.
* Close **o** involves a more 'backward' sound, with the mouth more closed, like the *o* in English *note* (without the final 'glide'): **fons, meló, estació**.

Unstressed vowels

The full range of Catalan vowel sounds is completed by a 'relaxed' vowel, always unstressed. This is the neutral sound represented by the *a* and *e* in the endings of English *sugar* and *butter*. In Catalan this sound is also represented by **a** or **e**, when either is in an unstressed position. If we show this unstressed sound as ə, observe in the first dialogue of Unit 1 the pronunciation, for example, of:

Perdoni, senyor, el punt de trobada?
pərdoni sənyor əl punt də trobadə

In an unstressed position **o** represents the same sound as **u**, Showing it as µ, observe on the recording the pronunciation, for example, of:

Ho sento, no ho entenc.
hµ sentµ no hµ entenc

While regional variations occur in pronunciation, the conventions of the written language (spelling, written accents, etc.) are uniform throughout.

▶ Consonants

The sounds of Catalan consonants are, in general, very similar to their English counterparts. Here your attention is drawn to some differences.

b and **v**   Mostly like *b* in English *bat*, but sometimes (notably between vowels) having a 'softer' sound, with only very slight contact between the lips: **dèbil, hivern**.

ç   Sounding like *c* in English *acid*, ç appears only before **a, o** and **u** or at the end of the word: **adreça, cançó, feliç**, and has the same sound as the **c** before **e** and **i** (cf. **cèntim, ciutat, acceptar**).

d   Generally more 'dental' than English *d* (pronounced with the tip of the tongue on the teeth), notice how it sounds like English *th* in *they* when appearing between vowels (and in certain other contexts): **dedicar, cada, perdona**.

g   Followed by **e** or **i**, shows a sound like *s* in English *measure*: **germà, Girona**.

h   Always silent, as in **hora, hivern**.

j   In any position shows the same sound as **ge** and **gi** (see above): **jardí, juliol, mitja**.

l   Pronounced generally from further back in the mouth than usual English *l* (closer to *ll* in *all*). This effect is even stronger with **l** in final position: **lavabo, abril, total**.

r	Pronounced in most positions with the single 'trill', more rolled than English *r* (closer to Scottish pronunciation), as in **ara, Carme**. The trill is double, strongly rolled (see **rr**, below), at the beginning of a word or after **l, m, n, s**: **roba, riure, enraonar**.
s	Generally 'unvoiced', like *s* in English *say*, as in **sal, després, capses**. A 'voiced' sibilant sound (like *s* in *rose*) is represented by single **s** between vowels or before a 'voiced' consonant: **cosa, empreses, turisme**.
x	Represents three different sounds, according to position and to contiguous sounds: like *sh* in English *sherry*, **xai, xerrar**; like *x* in *tax*, **taxi, explicar**; like *gs* in *legs*, **èxit, exacte**.

Besides the individual consonants there are some pairs of consonants, or vowel and consonant, which represent a single sound. These are called digraphs and they play an important part in the Catalan pronunciation and spelling system:

-ix	After a vowel **-ix** is pronounced like the *sh* in English *shellfish* and like initial Catalan **x**: compare **mateix, caixa** with **xai**, that you have just heard.
ny	Shows a sound rather like *ni* in English *onion*: **juny, Catalunya**.
ll	Shows a sound rather like *lli* in English *million*: **lluny, bacallà, mirall**.
rr	Represents a strongly rolled **r** (more Scottish than English: see **r** above): **carretera, arribar**.
ss	Represents, between vowels, the 'unvoiced' **s** sound (like in English *classic*: cf. **ç** and **s**, above): **dissabte, espessa**.
l·l	Corresponds to a reinforced **l** sound, as in **pel·lícula, intel·ligent**.
qu, gu	See above.
-ig, -tx	Represent the sound *tch* in English *catch*: **maig, passeig, mig, cotxe**.
tz	Sounds like *ds* in English *beds*: **dotze, tretze**.
-tg, -tj	(**tg** + **e/i** and **tj** + **a/o/u**) sound like *dge* in English *edge*, as in **metge, mitjó**.

The behaviour of some 'silent' consonants is described in the section on 'word liaison'.

◘ Written representation (spelling, accents) of sounds

The sets of words listed below illustrate the principles described in the preceding pages. As you listen, pay close attention to how the words are written. You will observe how spelling modifications and accentuation frequently reflect consistency of pronunciation. Again, the gap provides space for you to imitate what you hear, and then to check this against the recorded model.

València/valencià/valenciana	Puigcerdà/La Seu d'Urgell
Arenys de Mar/Ripoll	coixí/coixins
Eugeni/Eugènia	any/anys
autobús/autobusos	veí/veïns/veïnes
oli/oliós	català/catalans/catalanes
difícil/dificilíssim	escocès/escocesa/escocesos
quedar/qüestió	aigua/aigües
taronja/taronges	mig/mitja/mitjà
truco/truques	porro/porró
plaça/places	origen/orígens
placa/plaques	patata/patates
únic/unir	campus/campió/campions

Word liaison

In natural speech, in accordance with meaning and spontaneous patterns of utterance, two or more words are often 'run together'. Such groupings become the basic unit of pronunciation, rather than individual words which are conventions of the written language. Word liaison, as this phenomenon is called, is something which 'comes naturally' in the sense that it corresponds to how the speech organs behave when uttering sounds in sequence. In seeking fluency in Catalan, your main attention should be upon careful listening to and imitation of this aspect of native speech. Good general advice is to observe especially:

a vowels in contact,

b final/initial consonants of words which may be affected by pronunciation of the immediately contiguous sounds,

c instances (with exceptions) of: final -r, silent in most cases; silent t, in the endings vowel + lt, vowel + nt, pronounced before a following vowel; silent b of amb, pronounced before a following vowel.

▶ Practising word liaison

The recording illustrates the features just described (and some additional details). It is designed to prepare you for subsequent work in this important part of the 'teach yourself' process. The sets of words listed here contain instances of how particular sounds are affected by contact with their neighbours. Before listening, and then repeating the examples for yourself, look carefully at each set of words and try to anticipate how word liaison will operate.

els	els altres
dues peces	dues noies
feliç	feliçment
mig	migdia
maig	maig i abril
vint	vint-i-dos
parlar	parlar-ne
dormir	dormir-hi
nord	nord-est
anar	anar al cine/anar-hi
hi arribava	no arribava
és inútil	serà inútil
fred	freda i humida
pa amb tomàquet	pa amb oli
cap home	cap dona
peix fresc	peix gros
vaig cantar	vaig venir
un fill	un marit
fil negre	fil groc
la sang	sang i aigua
cinc filles	cinc obres
porta tancada	porta oberta
vols callar?	vols venir amb mi?
carrer ample	carrer estret

01

benvingut!
welcome!

In this unit you will learn
- how to greet someone
- how to introduce yourself
- how to attract someone's attention
- how to say and ask where someone is from

▶ 1 Com va això? *How are things?*

Tim, a young Englishman, arrives at Barcelona Sants train station where some Catalan friends are waiting for him at **el punt de trobada** *the meeting point*. Before they meet he asks for help in the Information Office.

Tim	Perdoni, senyor, el punt de trobada?
Informació	És aquí mateix.
Tim	Moltes gràcies.
Informació	De res.

Tim	Ei, Montse, Carles! Sóc aquí!
Montse	Hola Tim. Com va això?
Tim	Molt bé, i vosaltres?
Carles	Bé, també.

perdoni, senyor/-a	*excuse me, sir/madam*
***és**	*it is*
aquí (mateix)	*(right) here*
(moltes) gràcies	*(many) thanks/thank you (very much)*
de res	*you are welcome*
ei!	*hey!*
***sóc**	*I am*
hola	*hello*
(molt) bé	*(very) well*
i	*and*
vosaltres	*you (plural)*
també	*also*

* Throughout the course an asterisk in the vocabulary box means that the entry thus marked is referred to in the **Grammar** section.

▶ 2 Com et dius? *What's your name?*

With Carles and Montse there is another girl, Isabel, who doesn't know Tim.

Tim	Bon dia, com et dius?
Isabel	Em dic Isabel, sóc una amiga d'en Carles. I tu ets en Tim, oi?
Tim	Sí, exacte.
Isabel	Molt de gust.
Tim	Igualment. I de cognom, com et dius?
Isabel	Freixa.
Tim	Com s'escriu això? Ho pots lletrejar?
Isabel	F de Figueres, R de Rosa, E d'Eva, I d'Isabel, X de Xavi i A d'Anna.

bon dia	*good morning*
***em dic**	*my name is*
un amic/una amiga	*a friend (male/female)*
***en + masculine name**	personal article
***tu ets**	*you are*
oi?	*is/isn't that so?*
sí, exacte	*yes, that's right*
molt de gust	*nice to meet you*
igualment	*likewise*
de	*from, of*
el cognom	*family name*
com s'escriu això?	*how do you write it?*
ho pots lletrejar?	*can you spell it/that?*

▶ 3 Sóc de Tarragona *I am from Tarragona*

A lady at the station talks to Tim thinking he is someone she has come to meet.

Senyora Vicens	Hola, bon dia, vostè és en Bill Wright?
Tim	No, senyora.
Senyora Vicens	Ostres, ho sento! Jo sóc la Núria Vicens i espero un senyor de Londres, en Bill.
Tim	Doncs jo també sóc anglès, però em dic Tim i sóc de Bristol. I vostè d'on és?
Senyora Vicens	Jo sóc catalana, de Montroig.
Tim	Bé, adéu.
Senyora Vicens	Adéu, que vagi bé!

***vostè és**	*you are*
ostres!	*gosh!*
ho sento	*I am sorry*
espero	*I'm waiting for*
Londres	*London*
doncs	*well*
***anglès/-esa**	*English*
però	*but*
on	*where*
adéu	*good-bye*
que vagi bé!	*all the best!*

Exercise 1

Listen to the dialogues again and make sure you understand everything. Try to repeat them from the written text, imitating the Catalan pronunciation as closely as possible.

▶ Exercise 2

Now listen to the letters of the alphabet in Catalan and repeat them:

a, b, c, ç, d, e, f, g, h, i, j, k, l, m, n, o, p, q, r, s, t, u, v, w, x, y, z

The only unfamiliar item here will be **ç** (**ce trencada**) which appears in words like **feliç** *happy*, **caça** *hunting*. There is also **l·l** (**ela geminada**) found in words like **novel·la** *novel* or **col·legi** *school*. A double letter is presented as **doble** or **dues** ... e.g. **dues erres** *double r,* except **ll** which is always referred to as **ella**.

▶ Exercise 3

Listen to someone spelling out six words, and write them down.

▶ Useful expressions

Listen to some expressions you need to know to ask for help or explanation. These are written out for you below.

Què vol dir ...?	*What does ... mean?*
Com es diu en català ...?	*How do you say ... in Catalan?*
Ho pot repetir, sisplau?	*Can you say it again, please?*
Parli més a poc a poc, sisplau.	*Please, speak more slowly.*
Ho sento, no ho entenc.	*I'm sorry, but I don't understand (it).*

▶ Numbers 0-10

0	zero	4	quatre	8	vuit
1	u	5	cinc	9	nou
2	dos	6	sis	10	deu
3	tres	7	set		

i Polite mode of address (*vostè* vs. *tu*)

Addressing a person for whom 'first name terms' are appropiate (children, relatives, friends, close acquaintances or colleagues, etc.) the **tu** *you* (singular) form of the verb is used. The **vosaltres** *you* (second-person plural) form is used for addressing more than one person in these categories.

Ets (tu) anglesa?	*Are you English?*
Com us dieu (vosaltres)?	*What are your names?*

When one addresses someone who does not fall into these categories of familiarity or someone to whom particular respect is due, a special polite form is used. This involves use of **vostè** (plural **vostès**). It is always followed by a verb in the third person:

És (vostè) anglesa?
Com es diuen (vostès)?

Exercise 4

Change **tu** in this conversation into **vostè**:

Pere	Hola, ets el senyor Reig?
Sr. Reig	Sí, i tu com et dius?
Pere	Jo sóc en Pere Marquès, de Lleida. I tu, d'on ets?
Sr. Reig	Sóc de Lleida també, com tu!

Key words and phrases

Greeting someone

Hola, com va això?	*Hello, how are you / things?*
Com estàs? Com està?	*How are you?* *(informal/formal)*
(Molt) bé/malament.	*(Very) well/bad.*
I tu?	*And (how are) you?*
Bon dia./Bona tarda./ Bona nit.	*Good morning./Good afternoon./ Good night.*

Saying who you are

Com et dius? Com es diu?	*What's your name?* *(informal/formal)*
Em dic Natàlia.	*My name is Natalia.*
Ets la Natàlia?	*Are you Natalia?*

Molt de gust, encantat/-da. *Nice to meet you.*
Igualment. *Likewise.*

Attracting someone's attention

Perdona/Perdoni! *Excuse me (informal/formal).*
Ei, hola! *Hey, hello!*

Questions and statements about place of origin

D'on ets?/D'on és? *Where are you from?*
(informal/formal)
Sóc de París. *I am from Paris.*
Sóc francès. / Sóc francesa. *I am French (m/f).*

Exercise 5

Match each sentence on the left with one on the right:

1 Bon dia, Pere!   a Doncs jo sóc l'Aleix.
2 Com va això?   b Hola!
3 Et dius Anna?   c Bé, i tu?
4 Jo em dic Mireia.   d Sí, i tu?

Grammar

A The verb *ser* and personal pronouns

(jo) sóc   *I am*
(tu) ets   *you are*
(ell) és   *he is*
(ella) és   *she is*
(vostè) és   *you* (formal) *are*
(nosaltres) som   *we are*
(vosaltres) sou   *you are*
(ells) són   *they are*
(elles) són   *they are*
(vostès) són   *you* (formal) *are*

The personal or subject pronoun in Catalan is very frequently
omitted, even when no other subject of the verb is expressed.
This is possible because the verb itself conveys which person is
indicated. **Són** means *they are*, **som** means *we are*, and so on.
When the pronoun is used it is to give emphasis or to avoid
ambiguity.

B The verb *dir-se* 'to be called'

(jo) em dic	*my name is*
(tu) et dius	*your name is*
(ell) es diu	*his name is*
(ella) es diu	*her name is*
(nosaltres) ens diem	*our names are*
(vosaltres) us dieu	*your names are*
(ells) es diuen	*their names are*
(elles) es diuen	*their names are*

Other verbs which behave like **dir-se** will appear in the next two units and this type of 'reflexive' verb will be explained in Unit 5.

Grammar

C An introduction to nouns and articles

Nouns denote persons (**noi** *boy*), things (**cadira** *chair*) or abstractions (**amor** *love*). All Catalan nouns are either masculine or feminine, whether personal/animate or non-personal/inanimate. The definite article *the* is **el** or **l'** for masculine singular nouns and **la** or **l'** for feminine ones. The shortened form **l'** appears before masculine and feminine singular nouns begining with a vowel or **h**+ vowel: **el cafè** but **l'home; la sortida** but **l'amiga.**

The word for *a* (the indefinite article) is **un** for the masculine singular and **una** for feminine singular: **un noi** *a boy*, **una noia** *a girl*. We look at plural articles in Unit 2.

D The personal article

As in Dialogue 2 (**en Carles**) and Dialogue 3 (**la Núria Vicens**), before personal names or surnames the definite article is often used with little or no change of emphasis: **el** and **en** are used before masculine names begining with a consonant, **en Joan, el Miquel; la** before feminine names begining with a consonant, **la Marta, la Carla; l'** is used before masculine or feminine names begining with a vowel or **h** + vowel: **l'Arnau, l'Helena.** Note that this article is not used when the person is addressed directly (**escolta, Maria** *listen, Maria*). Note also that it appears with **ser** but not with **dir-se: sóc en Pere,** but **em dic Pere.**

Exercise 6

Put a personal article before these names:

1 Imma
2 Tomàs
3 Hortènsia

4 Jordi
5 Carme
6 Enric

Exercise 7

Complete the sentences with the correct form of the verb **dir-se** or **ser**:

1 Ella _____ Maria.
2 Vostè _____ en Pere Pujol?
3 Tu _____ l'Arnau.
4 Jo _____ la Lídia.
5 Ells _____ en Miquel i en Santi.
6 Nosaltres _____ Carme i Eva.

Grammar

E Descriptive or qualifying words (adjectives)

The foreigner (**estranger/estrangera**) is often in the position of explaining where he/she is from or his/her nationality. Feminine identity is regularly indicated in Catalan by the ending **-a**, as in **senyor/senyora, estranger/estrangera**. Where Tim says here **sóc anglès**, an English girl or woman would say **sóc anglesa**, while the masculine equivalent of Sra. Vicens's **sóc catalana** would be **sóc català**.

This regular indication of feminine identity is both for personal and non-personal nouns, as seen in this basic scheme:

Masculine	*Feminine*
bon dia *good day*	bona nit *good night*
en Nils és suec *Nils is Swedish*	la May és sueca *May is Swedish*
molt pa *a lot of bread*	molta farina *a lot of flour*

To be observed for later practice is the fact that the usual position for descriptive or qualifying adjectives in Catalan is after the noun: **un llibre danès** *a Danish book*, **una pel·lícula danesa** *a Danish film*; **un llibre bo** *a good book*, **una pel·lícula bona** *a good film*.

In the expression **moltes gràcies** we have met the distinctive feminine plural ending **-es**. So we would say **la Núria i l'Amèlia són catalanes** *Nuria and Amelia are Catalans*. More attention to these questions will be paid at several points in future units.

Exercise 8

Look at the country or town the people below come from and then supply the appropriate adjective (from the box below) for their origin or nationality. You will in some cases have to make the appropriate agreement for genders.

Example: L'Antònia Ferriol és de Mallorca. És mallorquina.

1 En Sean Connery és d'Escòcia. És _____.
2 En Cormac O'Callaghan és de Dublín. És _____.
3 La Mary Shelley és d'Anglaterra. És _____.
4 La Sofia Loren és d'Itàlia. És _____.
5 L'Antonio Banderas és d'Andalusia. És _____.
6 La Carmen Robles és d'Espanya. És _____.
7 El Gérard Depardieu és de França. És _____.
8 La Yaki Takamoto és del Japó. És _____.

---

italià, espanyol, irlandès, andalús, anglès, escocès, francès, japonès

---

▶ Exercise 9

Someone stops you in the airport. Complete the following conversation.

Turista Bon dia. Que ets en Marcel?
(You) 1 _____.
Turista Ho sento. 2 _____?
(You) Sóc del Canadà.
Turista Molt de gust. Adéu!
(You) 3 _____!

02

on vius!

where do you live?

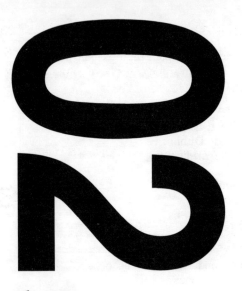

In this unit you will learn
- how to introduce other people
- how to exchange personal details (age, address ...)
- how to talk about your family
- how to ask and say where places are (1)

▶ 1 Et presento els meus pares *Meet my parents*

Montse is going to introduce Tim to her parents. They live in a flat in the Gràcia neighbourhood in Barcelona.

Montse Tim, et presento els meus pares, en Roger i l'Anna.
Anna Molt de gust de coneixe't.
Roger Encantat.
Tim Igualment. Així només viviu vosaltres tres en aquest pis tan gran?
Roger No! També hi ha la meva mare, l'àvia de la Montse. I els caps de setmana hi ha en Lluís, el nostre fill i germà gran de la Montse.
Tim On viu normalment?
Anna S'està a Lleida.

el pare	*father (in plural, parents)*
conèixe't	*to meet you*
encantat/-da	*nice to meet you*
així	*so*
només	*only*
***viviu**	*you live*
***aquest pis**	*this flat*
tan	*so*
gran	*big/large*
***la meva**	*my*
la mare	*mother*
l'àvia (f.)	*grandmother*
el cap de setmana	*weekend*
hi ha	*there is, there are*
***el nostre**	*our*
el fill/la filla	*son/daughter*
el germà/la germana	*brother/sister*
gran	*big; elder*
normalment	*normally*
***viu *s'està**	*(s/he) lives*
a	*in*

▶ 2 Quants anys tens? *How old are you?*

Montse and Tim are looking at a family photo and talking about their families.

Tim	Qui és aquest senyor?
Montse	Aquest home és el pare de la meva mare, l'avi Sebastià.
Tim	I aquesta noia?
Montse	També és de la família. És la meva cosina: es diu Sandra i ara viu a l'estranger.
Tim	I viu sola?
Montse	No, està casada i té una filla, la Raquel. El seu marit és aquell de l'esquerra.
Tim	I el teu germà, que està casat?
Montse	No, és solter.

Tim	Els meus oncles i els meus cosins viuen a Londres.
Montse	I quants anys tenen els teus cosins?
Tim	Vint-i-un anys té el meu cosí i trenta-tres la meva cosina.
Montse	I tu, quants anys tens?
Tim	Tinc vint-i-quatre anys.

*tenir ... anys	to be (years old)
qui	who
l'home (m.)	man
l'avi (m.)	grandfather
el cosí/la cosina	cousin
ara	now
a l'estranger	abroad
sol/-a	alone
està casada	she is married
*té	(s/he) has
*el seu	his/her
el marit	husband
*aquell/-a	that, that one
esquerre/-a	left
*el teu	your
solter/-a	single, unmarried
l'oncle (m.)	uncle (in plural, uncle and aunt)

▶ 3 On és el lavabo? *Where is the toilet?*

Montse explains to her friend where the rooms in the house are situated.

Montse	Aquesta és la teva habitació. És al costat de la meva.
Tim	I on és el bany?
Montse	Al fons del passadís, a mà dreta.

Tim	I la cuina, on és?
Montse	Just a davant del menjador, entre l'entrada i la teva habitació. I la sala d'estar és a l'esquerra del rebedor.

l'habitació (f.)	*room, bedroom*
al costat de	*next to*
el bany	*bathroom, toilet*
al fons	*at the end*
*del	*of the*
el passadís	*corridor*
a mà dreta	*on the right-hand side*
la cuina	*kitchen*
davant	*in front*
el menjador	*dining room*
entre	*between*
l'entrada (f.)	*entrance*
la sala d'estar	*living room*
el rebedor	*entrance hall*

▶4 Quina adreça té? *What's his address?*

Tim wants to catch up with Esteve, an old friend.

Tim	L'Esteve encara viu a Sitges?
Montse	No, ja no hi viu. Ara s'està a Barcelona amb un amic.
Tim	I quina adreça té?
Montse	Viu al Carrer Diputació número dinou, al cinquè pis.

> *Isabel Carbó i Just*
> *Carles Mas i Garcia*
>
> Carrer de baix, 23, 3r A
> 46700 Gandia (La Safor)

L'edifici on viu és just davant d'un cinema i molt a prop d'un centre comercial. A més, al costat de casa seva hi ha una farmàcia.

encara	*still*
ja no	*no longer*
hi	*there*
amb	*with*
*al	see Grammar D

cinquè/-ena	fifth
el pis	floor
l'edifici (m.)	building
(molt) a prop de	(very) close to
el centre comercial	shopping centre
a més	also
casa seva	(his, her) house/home
la farmàcia	chemist's shop

Exercise 1

True or false?

1 Only four people live in Roger and Anna's flat.
2 Raquel is Montse's sister.
3 Montse's brother is not married.
4 Esteve lives in a flat near a shopping centre.

Exercise 2

Listen again to the dialogues and make sure you understand everything. Act out the situations, with a partner if possible.

Exercise 3

Say whether the underlined letters in these words from Dialogues 1 and 2 sound stressed or unstressed.

1 pares 2 aquest 3 ha 4 meva 5 germà 6 gran 7 noia
8 estranger

Notice also how **e** represents different sounds according to whether it is stressed or unstressed.

▶ Ordinals and numbers 11–99

Before starting with more numbers, listen again to 1–10 from Unit 1 and then the corresponding ordinals:

1st	primer, primera	6th	sisè, sisena
2nd	segon, segona	7th	setè, setena
3rd	tercer, tercera	8th	vuitè, vuitena
4th	quart, quarta	9th	novè, novena
5th	cinquè, cinquena	10th	desè, desena

Now look at and listen to the numbers between 11 and 99. Pay careful attention to the spelling, mainly with the twenties.

11 onze 12 dotze 13 tretze 14 catorze 15 quinze 16 setze
17 disset 18 divuit 19 dinou
20 vint 21 vint-i-u 22 vint-i-dos 23 vint-i-tres 24 vint-i-quatre
25 vint-i-cinc 26 vint-i-sis ...
30 trenta 31 trenta-u 32 trenta-dos 33 trenta-tres
34 trenta-quatre 35 trenta-cinc ...
40 quaranta 41 quaranta-u 42 quaranta-dos ...
50 cinquanta 51 cinquanta-u 52 cinquanta-dos ...
60 seixanta 61 seixanta-u 62 seixanta-dos ...
70 setanta 71 setanta-u 72 setanta-dos ...
80 vuitanta 81 vuitanta-u ...
90 noranta 91 noranta-u ...

In the same way that **un/-a,** as a numeral and also as indefinite article, agrees with the noun that it introduces, there is also a distinctive feminine form **dues:**

	trenta-un bitllets	*thirty-one banknotes*
but	trenta-dues entrades	*thirty-two admission tickets*
	dos llits	*two beds*
but	dues cadires	*two chairs*

ℹ Addresses

Addresses in Catalan start with the name of the street **carrer,** square **plaça**, avenue **avinguda**, main road **carretera,** promenade **passeig,** track **camí** and so on, followed by the number and finally, if appropriate, the floor and the flat number. At the end we usually write the postcode **codi postal** before the name of the city **ciutat** or town/village **poble.**

ℹ Family names

Catalans generally use two family names **cognoms,** usually but not always linked by i (the first one being the father's and the second one the mother's, although this order can be changed and many people use just the single surname). Examples: **Lluïsa Canals i Franch,** **Nicolau Dols Sala.** In all official papers both surnames must be given. Remember that the Catalan word for first or given name is **nom.**

▶ **Exercise 4**

Listen to the recording and write out in the correct place all the information requested:

```
              Fitxa personal
1 Nom: ...............    5 Població: .............

2 Cognoms: ...........    6 N. Passaport: .........

3 Adreça: .............   7 Edat: ................

4 Codi postal: ........   8 Estat civil: ...........
```

Key words and phrases

Introducing other people

Et presento el senyor Soler.	*Let me introduce (to you) Mr Soler* (informal).
Li presento la Mireia Molas.	*Let me introduce (to you) Mireia Molas* (formal).

Asking people where they live and how old they are

On vius? On viu?	*Where do you live?* (informal/formal)
Quina adreça tens? Quina adreça té?	*What's your address?* (informal/formal)
Visc a ... La meva adreça és ...	*I live in ....* *My address is ...*
Quants anys tens? Quants anys té?	*How old are you?* (informal and formal)
Tinc ... anys.	*I am ... (years old).*

Asking and saying where places are (1)

On és ...? És a ...	*Where is ...?* *It is ...*
la dreta/l'esquerra a mà dreta/a mà esquerra davant/darrere	*right/left (hand side)* *on the right-/left-hand side* *in front (of)/behind*

al fons	*at the end/at the bottom*
al costat (de)	*next (to)*
a prop (de)	*near (to)*
entre	*between*

Exercise 5

Look at this plan of an apartment and write down the name of each room.

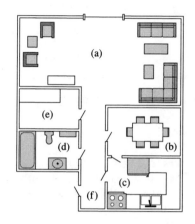

Grammar

A Demonstratives ('this', 'that', etc.)

Singular	*Plural*
aquest/-a *this (that)*	aquests/-es *these (those)*
aquell/-a *that*	aquells/-es *those*

The demonstrative can be used both as adjective and pronoun:

| Aquesta és la meva habitació; aquella és la teva. | *This is my room; that one (over there) is yours.* |

Aquest/-a means *that* when it refers to something close to the person addressed.

| On vas amb aquesta maleta? | *Where are you going with that suitcase?* |

Note pronunciation of **aquest**: the **s** is silent except when the adjective precedes a noun which begins with a vowel or **h** + vowel. (Listen again to Dialogues 1 and 2 and pay attention to the pronunciation of **aquest**.)

B Possessives ('my', 'your', 'his', etc.)

	Singular	
	Masculine	*Feminine*
my	el meu	la meva
your	el teu	la teva
his, her, its, your (**vostè**)	el seu	la seva
our	el nostre	la nostra
your	el vostre	la vostra
their, your (**vostès**)	el seu	la seva

	Plural	
	Masculine	*Feminine*
my	els meus	les meves
your	els teus	les teves
his, her, its, your (**vostè**)	els seus	les seves
our	els nostres	les nostres
your	els vostres	les vostres
their, your (**vostès**)	els seus	les seves

Catalan possessives are generally preceded by the relevant definite article. There is agreement with the object of possession. Like the demonstratives, the possessives can function as adjectives and pronouns.

El nostre tramvia és el número tres (*adjective*). — *Our tram is the number three.*

Aquest tramvia no és el nostre (*pronoun*). — *This tram isn't ours.*

Exercise 6

Change the following sentences to indicate possession into:

a your (sg./pl.) **b** his/her **c** your (polite, sg./pl.) **d** our **e** their

1 Aquests papers són **meus**.
2 **Les meves** cosines viuen a Manresa.

Grammar

C Prepositions *a*, *de* and *per* (contractions)

The prepositions **a** (*to, at, in, on*), **de** (*of, from, about*) and **per** (*by, for, through, along*) are contracted when they join the masculine definite article – **el, els**, but not **l'** – to produce **al, als; del, dels; pel, pels**.

Viu a + el costat de + el cinema > Viu al costat del cinema.
S/he lives next to the cinema.

Partit per el mig > Partit pel mig. *Split down the middle.*

D Question words

Què?	*What?*
Qui?	*Who?*
Quin/-a, quins/-es?	*Which? (referred to people and things), what?*
Quant/-a?	*How much?*
Quants/-es?	*How many?*
Quina senyora és aquesta?	*Which lady is this one?*
Quins llibres tens?	*Which books do you have?*
Quants germans té?	*How many brothers does s/he have?*

E *Viure* and *estar-se* 'to live'

Viure means *to live* (in general), *to be alive*, while **estar-se** means *to live* only in the sense of *to reside, to stay.*

(jo) visc	*I live*	(nosaltres) vivim	*we live*
(tu) vius	*you live*	(vosaltres) viviu	*you live*
(ell/ella) viu	*he/she lives*	(ells/elles) viuen	*they live*
(jo) m'estic	*I live*	(nosaltres) ens estem	*we live*
(tu) t'estàs	*you live*	(vosaltres) us esteu	*you live*
(ell/ella) s'està	*he/she lives*	(ells/elles) s'estan	*they live*

(The pronouns **em**, **et** and **es** before vowel or **h** + vowel take the apostrophized form.)

F The verb *tenir* 'to have'

(jo) tinc	*I have*	(nosaltres) tenim	*we have*
(tu) tens	*you have*	(vosaltres) teniu	*you have*
(ell/ella) té	*he/she has*	(ells/elles) tenen	*they have*

Exercise 7

Look at this information and write down a description in the first person:

Name: *Cristina*	Status: *single*
Age: *19*	Brother: *Esteve, 23 years old*
Place of origin: *Sabadell*	Father: *from Andorra*
Place of residence: *Barcelona*	Mother: *from Italy*

Exercise 8

Look carefully at this family tree and then complete the sentences below:

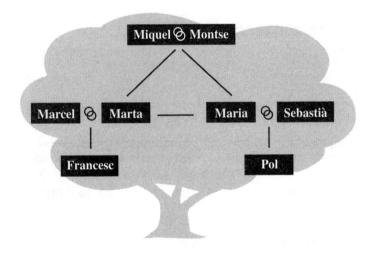

La Maria està _____ 1 amb en Sebastià i tenen un _____ 2, en Pol. La Marta és la _____ 3 de la Maria i els seus _____ 4 es diuen Miquel i Montse. El _____ 5 d'en Pol és en Francesc. En Marcel està casat amb la _____ 6. En Sebastià és _____ 7 d'en Pol, i l'_____ 8 d'en Pol es diu Marcel.

Grammar

G Plural nouns and articles

All plural nouns end in -s. Plural definite articles are **els** for the masculine and **les** for the feminine (no shortened form with plurals); plural indefinite articles are **uns** and **unes**, translating the idea of *some*.

In many cases the plural is formed quite simply by adding -s to the singular form of the noun: **el meu fill** *my son* > **els meus fills** *my sons*.

In many other cases, however, the word undergoes some slight change before taking the final -s. A major instance of this is with words ending in unstressed -a which change the -a to -e before taking the final -s: **la noia** *the girl* > **les noies** *the girls*; **una germana** *a sister* > **unes germanes** *some sisters*.

The information given in the **Reference tables** at the end of the book provides a fuller picture.

Exercise 9

Choose one word from each column to create the article + noun + adjective structure as in **unes noies menorquines**:

1 una	senyor	angleses
2 un	amic	alemanya
3 uns	cosina	espanyol
4 les	nois	catalans
5 l'	amigues	francès

Exercise 10

Choose the correct response:

1 Montse, et presento la meva àvia.
   a Hola, molt de gust.
   b Jo em dic Montse.
   c Igualment.

2 Quina és la teva adreça?
   a La meva adreça és aquella.
   b Plaça del Vi, número set.
   c Número set de la Plaça del Vi.

3 On viu la Cesca?
   a Vius a Terrassa.
   b Viu a Terrassa.
   c S'estan a Terrassa.

4 Qui és aquest noi?
   a És la meva germana.
   b És solter.
   c És el meu amic.

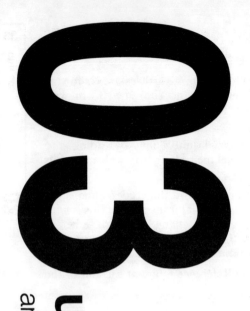

03

una cita
an appointment

In this unit you will learn
- how to make an appointment
- how to ask and tell the time
- how to make a simple call
- how to ask and say where places are (2)

▶ 1 Que hi és l'Esteve? *Is Esteve there?*

Tim has decided to call his old friend, Esteve.

Tim	Montse, que tens el número de telèfon de l'Esteve?
Montse	Sí, és el 932 34 27 58.

Dona	Digui?
Tim	Bon dia, que hi és l'Esteve?
Dona	Em sembla que s'equivoca. A quin número truca?
Tim	Al 932 34 27 58.
Dona	Aquí és el 932 34 28 58.
Tim	Perdoni, em sap greu.
Dona	No hi fa res, adéu.

Noia	Digui?
Tim	Que hi ha l'Esteve?
Noia	Sí, un moment, sisplau.
Esteve	Sí? Amb qui parlo?
Tim	Esteve, sóc en Tim! Sóc a Barcelona.
Esteve	Ei Tim, quant de temps! Com va això?

la dona	*woman*
digui?	*yes, hello?*
em sembla que	*I think that*
s'equivoca (vostè)	*you are wrong*
truca	*you call*
em sap greu	*I am sorry*
no hi fa res	*don't worry about it, it doesn't matter*
el noi / la noia	*boy / girl*
amb qui parlo?	*who is speaking?*
quant de temps!	*what a long time!*

▶ 2 Et va bé a les cinc? *Is five o'clock all right for you?*

Esteve and Tim decide to get together.

Tim	Què et sembla de quedar aquesta tarda?
Esteve	A mi em va bé. Tinc tota la tarda lliure.
Tim	D'acord, a on?
Esteve	No ho sé. A veure ... et va bé al bar Mingo, al carrer Muntaner?
Tim	Sí. A quina hora?

Esteve	A les cinc?
Tim	Perfecte, fins després.

(*in the bar*)

Cambrera	Què voleu prendre?
Esteve	Jo vull un cafè amb llet.
Tim	Per a mi un tallat i una pasta.

(*later*)

Tim	Perdona, quina hora és?
Cambrera	Són dos quarts de vuit.
Tim	Ui, que tard! M'acompanyes a l'estació de trens?

què et sembla de quedar?	*what (do you think) about meeting?*
la tarda	*afternoon*
a mi em va bé	*that's fine for me*
tot/-a	*all*
lliure	*free*
d'acord	*fine, OK, agreed*
no ho sé	*I don't know*
a veure …	*let's see*
a quina hora?	*at what time?*
perfecte	*all right*
fins després	*see you later*
què voleu prendre?	*what do you want to drink?*
*vull	*I want*
el cafè amb llet	*white coffee*
per a	*for*
el tallat	*coffee with a dash of milk*
la pasta	*pastry*
*són dos quarts de vuit	*it's half past seven*
ui, que tard!	*oh! it's late!*
m'acompanyes?	*can/will you come with me?*
l'estació (f.)	*station*
el tren	*train*

▶ 3 És lluny? *Is it far?*

Tim and Esteve discuss how best to get to the station.

Tim	Agafem el metro o el bus?
Esteve	Hi ha una parada de bus en aquesta cantonada.
Tim	I l'estació de metro, és lluny?
Esteve	En aquest barri només n'hi ha una. És al final de tot d'aquesta avinguda.
Tim	Doncs millor el bus. Apa!

agafar	*to catch, to take*
el metro	*underground*
l'(auto)bús (m.)	*bus*
la parada	*(bus / metro) stop*
la cantonada	*corner*
el barri	*neighbourhood*
***n'hi ha una**	*there is one*
al final (de tot)	*(right) at the end*
millor	*better, best*
apa!	*let's go!*

▶ 4 A quina hora surt el tren? *What time does the train leave?*

Tim asks about train times in the information office at the railway station.

Tim	Bona tarda. A quina hora surt el primer tren cap a Mataró demà?
Informació	Al matí el primer és a les set i cinc minuts.
Tim	I després?
Informació	A les vuit i deu minuts, i a un quart de deu.
Tim	I el viatge, quant dura?
Informació	Dura tres quarts, o sigui, quaranta-cinc minuts.

cap a	*towards*
demà	*tomorrow*
el matí	*morning*
després	*then, later*
***un quart de deu**	*a quarter past nine*
el viatge	*journey*
quant dura?	*how long does it take?*
o sigui	*that is*

Exercise 1

True or false?

1 Esteve is not alone at home when Tim calls.
2 Esteve is not free in the afternoon.
3 The metro station is closer than the bus stop.
4 The third train to Mataró is at a quarter past ten.

Exercise 2

Study the dialogues carefully and repeat them. Then listen to the pronunciation of the words below (from Dialogues 1 and 2) and say whether the sound represented by the underlined letter is open, close or unstressed:

1 núm<u>e</u>ro   2 mom<u>e</u>nt   3 Barc<u>e</u>lona   4 qu<u>è</u>   5 b<u>é</u>   6 carr<u>e</u>r
7 Muntan<u>e</u>r   8, 9 d<u>e</u>sprés   10 tr<u>e</u>ns

▶ Division of the day

la matinada	*early morning*	el matí	*morning*
el migdia	*noon*	la tarda	*afternoon*
el vespre	*evening*	la nit	*night*

▶ Numbers 100–1,000

Listen to the scheme of numbers from 100 to 1,000 and note where hyphens are written.

100 **cent** 101 **cent u** 102 **cent dos** 103 **cent tres** 104 **cent quatre** ...
110 **cent deu** 111 **cent onze** ...
120 **cent vint** 125 **cent vint-i-cinc** ...
232 **dos-cents trenta-dos** ...
356 **tres-cents cinquanta-sis** ...
567 **cinc-cents seixanta-set** ...
798 **set-cents noranta-vuit** ...
974 **nou-cents setanta-quatre** ...
1,000 **mil**

▶ Exercise 3

Listen to people giving some telephone numbers. Say whether they are correct or not. If not, correct them.

1 972 59 41 62	4 977 18 15 63
2 93 285 31 98	5 629 45 28 75
3 973 21 78 45	6 971 83 64 12

In the last exchange **aquí** does not mean *here* but refers rather to the place where the other person is talking from.

ℹ The time of day

In central Catalonia there is an alternative or complementary way of telling the time based upon quarters of an hour, as shown in the right-hand column below. (We use the hour from five to six o'clock as illustration.)

les cinc	**17:00**	les cinc
les cinc i quart	**17:15**	un quart de sis
les cinc i mitja	**17:30**	dos quarts de sis
les sis menys quart	**17:45**	tres quarts de sis

You might find the system shown in the right-hand column rather confusing at first. It is, in fact, very logical as it is based on the idea that the seventh hour, for example, begins at six o'clock. Look at some more cases:

les set i vint-i-cinc	**19:25**	un quart i deu (minuts) de vuit
les set i trenta-cinc	**19:35**	dos quarts i cinc (minuts) de vuit
les vuit i cinc (minuts)	**20:05**	les vuit i cinc (minuts)

Use of the 24-hour clock is becoming increasingly frequent, especially for timetables:

18:25 El meu tren surt a les divuit i vint-i-cinc minuts.
My train leaves at 18:25.

15:55 Aquest tren arriba a les quinze cinquanta-cinc.
This train arrives at 15:55.

Note that 'one o'clock' is singular and therefore takes **és**, while the other hours take **són**. (The same is also true of **quart/quarts: és un quart de deu/són tres quarts de dotze**.)

Exercise 4

Match the time shown on each watch with one of the expressions:

1

a Són tres quarts de vuit.

b Són les quatre i quart.

c És un quart i cinc de set.

d Són les quatre i vint-i-cinc minuts.

2

e Són tres quarts i cinc de quatre.

f Són les sis menys deu minuts.

3

4

5

6

Exercise 5

Write out, using both systems, the following times:

1 8.45   2 6.30   3 17.15   4 11.20   5 15.50

Key words and phrases

Asking and telling the time

Quina hora és?	*What time is it?*
(Que) tens hora? (Que) té hora?	*Have you got the time?*
És un quart de tres.	*It's quarter past two.*
Són les sis i cinc minuts.	*It's five past six.*
A les deu del matí.	*At ten in the morning.*
A un quart de sis de la tarda.	*At a quarter past five in the afternoon*

Asking about times

A quina hora comença la pel·lícula?	*What time does the film start?*
Quant dura el viatge?	*How long does the journey take?*

Asking and saying where places are (2)

Hi ha alguna parada de bus per aquí?	*Is there a bus stop near here?*
És lluny? / És a la vora?	*Is it far? / Is it nearby?*
en aquesta cantonada	*at this (street) corner*
al final del carrer	*at the end of the street*

Arranging an informal meeting

Et va bé a les set?	*Is seven o'clock all right for you?*

Talking on the telephone

Digui?	*Hello?*
Que hi ha/Que hi és …?	*Is … there?*
Sí que hi és.	*Yes, s/he is here.*
No, no hi és (ara).	*No, s/he isn't here (at the moment).*
Un moment sisplau.	*One moment, please.*
Amb qui parlo? / De part de qui?	*Who is speaking?*

Exercise 6

Complete the following telephone conversations:

1 a Que hi és la Marta?
  b _____.
  a D'acord, adéu.

2 a Que hi ha en Pere?
  b Sí _____.
  a Gràcies.

3 a Que hi ha l'Imma?
  b Em sembla que s'equivoca.
  a _____.

4 a Que hi és l'Arnau?
  b Un _____.
  a Gràcies.

5 a Que hi ha en Xavi?
  b No, _____.
  a Bé, adéu.

6 a Que hi és en Quim?
  b Sí, _____?
  a Sóc l'Oriol Martínez.

Grammar

A Regular verbs – present tense (1)

In this unit we have found some regular verbs in the simple present tense like **s'equivoca**, **truca**, **parlo**, **m'acompanyes** and **dura**. These are from the large group of regular verbs, referred to as the first conjugation, whose infinitive ends in -**ar**.

	parlar (to speak, to talk) stem-ending	**equivocar-se** (to be wrong) stem-ending
(jo)	parl-o	m'equivoc-o
(tu)	parl-es	t'equivoqu-es
(ell/-a, vostè)	parl-a	s'equivoc-a
(nosaltres)	parl-em	ens equivoqu-em
(vosaltres)	parl-eu	us equivoqu-eu
(ells/-es, vostès)	parl-en	s'equivoqu-en

Look at the stem of **equivocar-se** and see the changes made to the stem spelling, reflecting consistency of pronunciation. The same happens with **trucar: truco, truques**, etc. See **Pronunciation and Spelling** and also Unit 4, Grammar G.

B Irregular verbs *voler* 'to want' and *sortir* 'to leave'

(jo) vull	*I want*	(nosaltres) volem	*we want*
(tu) vols	*you want*	(vosaltres) voleu	*you want*
(ell/ella) vol	*he/she wants*	(ells/elles) volen	*they want*

(jo) surto	*I leave*	(nosaltres) sortim	*we leave*
(tu) surts	*you leave*	(vosaltres) sortiu	*you leave*
(ell/ella) surt	*he/she leaves*	(ells/elles) surten	*they leave*

C *Hi ha – n'hi ha* 'there is'

Hi ha means *there is/are* and, as a question, *is/are there?*. After a question whatever is referred to is picked up by **n'** in any response.

Hi ha temps per a fer això?   *Is there time to do this?*
  Sí que n'hi ha.   *There certainly is.*

Hi ha una adrogueria per aquí?   *Is there a grocery store round*
  (Em sembla que) n'hi ha una   *here? (I think that) there's one*
  després del semàfor.   *after the traffic lights.*

We look more closely at the behaviour of these two words, **en** (**n'**) and **hi,** in Units 4 and 5 respectively.

Exercise 7

Answer the following questions using the information given in the picture, as in the example:

Example: Hi ha alguna farmàcia a prop d'aquí?
Sí, n'hi ha una a la segona cantonada a mà dreta.

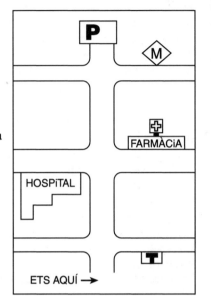

1 Hi ha algun pàrquing a prop d'aquí?
2 Hi ha alguna parada de taxis a prop d'aquí?
3 Hi ha algun hospital a prop d'aquí?
4 Hi ha alguna estació de metro a prop d'aquí?

Grammar

D *Que* and *què* in questions

Observe the difference, in both pronunciation and function, between these two similar-looking words that introduce questions. **Que** (not translated) frequently precedes a brief direct question not headed by another interrogative word, as in **que hi és l'Esteve?** (Dialogue 1). Remember, **el teu germà, que està casat?** from Unit 2 Dialogue 2.

Que vols un cafè?	*Do you want a coffee?*
Que és lluny l'estació?	*Is the station far away?*

Què? is the exact equivalent of *what?*

Què vols?	*What do you want?*
Què hi ha al final del carrer?	*What is there at the end of the street?*

Exercise 8

Put this dialogue into the correct order:

1 Ui, que tard!
2 I quina hora és ara?
3 A les sis i vint minuts.
4 A quina hora surt l'autobús?
5 No, home, encara tens temps!
6 Són les sis i deu.

Exercise 9

Look at these bus times and write out in full the answers to the questions which follow.

Vic ⟶ Girona		Girona ⟶ Vic	
10.10	11.35	09.15	10.40
12.20	13.45	11.25	12.50
14.05	15.30	13.05	14.30
15.45	17.10	14.45	16.10
17.10	18.35	16.10	17.35
19.20	20.45	18.25	19.50

1 A quina hora surt el primer autobús cap a Girona?
2 A quina hora surt el segon bus cap a Vic?
3 A quina hora surt el primer bus de la tarda cap a Girona?
4 A quina hora arriba el darrer autobús a Girona?
5 A quina hora arriba el cinquè bus a Vic?

04

anem a comprar
let's go shopping

In this unit you will learn
- how to ask about prices and pay for purchases
- how to ask about opening and closing times
- how to describe quantity, size and weight

▶ 1 A quina hora obren? *What time do they open?*

Tim asks Montse's father about opening times at the post office, **correus**.

Tim	Roger, saps quin horari fan a correus?
Roger	Em sembla que obren a un quart de nou del matí.
Tim	I tanquen al migdia?
Roger	No, fan horari intensiu, fins a les dues. A la tarda tenen tancat.
Tim	Vull enviar unes postals al meu país i necessito segells.
Roger	Si vols, pots anar a l'estanc a comprar-los. Allà també en venen i tenen obert a la tarda.
Tim	Quan obren?
Roger	Crec que obren a dos quarts de cinc i tanquen a dos quarts de nou del vespre.

*saps?	*do you know*
quin horari fan	*what are the opening hours*
obren	*they open*
tanquen	*they close*
*horari intensiu	*see* ❶
fins a	*until*
tancat/-da	*closed*
obert/-a	*open*
enviar	*to send*
la postal	*postcard*
el país	*country*
necessito	*I need*
el segell	*(postage) stamp*
*pots anar	*you can go*
l'estanc (m.)	*newsagent-tobacconist's*
comprar	*to buy*
allà	*there*
*en	*see Grammar B*
*venen	*they sell*
quan	*when*
crec	*I believe*

▶2 Quant en vols? *How much do you want?*

While Tim is at the newsagent's, Montse goes to the market. She first wants to buy some fruit.

Montse Bona tarda, teniu peres?
Botiguera Sí que en tenim. Aquestes són molt bones. Quantes en vols, noia?
Montse A quin preu van?
Botiguera A 1 euro i 60 cèntims el quilo.
Montse Doncs dos quilos.
Botiguera Alguna cosa més?
Montse Sí, mig quilo de préssecs i sis taronges.
Botiguera Com els vols, els préssecs, madurs o verds?
Montse Més aviat verds.

la pera	*pear*
el / la botiguer/-a	*shop assistant*
***bo/-na**	*good*
a quin preu van?	*how much are they?*
el quilo	*kilo*
alguna cosa més?	*anything else?*
mig/mitja	*half*
el préssec	*peach*
la taronja	*orange*
***els**	*see Grammar A*
madur/-a	*ripe*
verd/-a	*green, unripe*
més aviat	*tending to be*

▶3 Quant val? *How much is it?*

Then Montse goes to a grocer's shop.

Pilar A qui toca?
Montse A mi. Hola Pilar, vull farina.
Pilar Quanta en vols?
Montse Dos paquets ... Tens melmelada de maduixes?
Pilar Sí, cada pot val només 2 euros. Està d'oferta.
Montse Vull també un litre d'oli d'oliva, una ampolla de vinagre, un parell de llaunes de tonyina i dos paquets de sucre.
Pilar Les llaunes, les vols grosses o petites?

Montse	Petites.
Pilar	Res més?
Montse	Sí, voldria un tall de formatge.
Pilar	Aquest val 4 euros amb 35 el quilo. Així va bé?
Montse	Una mica menys, sisplau. I res més … Quant és tot plegat?
Pilar	Són catorze euros amb vint-i-cinc cèntims. Gràcies.

a qui toca?	*who's next?*
(em toca) a mi	*it's my turn*
la farina	*flour*
el paquet	*bag*
la melmelada	*jam*
la maduixa	*strawberry*
cada	*each*
el pot	*can, tin, jar*
***val**	*(it) costs*
només	*only*
està d'oferta	*it's on offer*
el litre	*litre*
l'oli d'oliva (m.)	*olive oil*
l'ampolla (f.)	*bottle*
el vinagre	*vinegar*
el parell	*couple*
la llauna	*tin*
la tonyina	*tuna*
el sucre	*sugar*
***les**	*see Grammar A*
gros/-sa	*big*
petit/-a	*small*
res més?	*anything else?*
voldria	*I'd like*
el tall	*piece, slice*
el formatge	*cheese*
així va bé?	*is that all right?*
una mica menys	*a little bit less*
tot plegat	*altogether*

Exercise 1

Read the dialogues again and try to repeat them, working with a partner if possible.

Exercise 2

Look at the word groups below (all from Dialogues 1 and 2) and say whether the underlined letter **o** sounds open, close or unstressed. Notice also how the words in each group run together.

1 quin horari   2 unes postals   3 pots anar   4 crec que obren
5, 6, 7 són molt bones   8, 9, 10 doncs dos quilos

ℹ Shops and opening times

Shops in Catalonia and in the majority of Catalan-speaking areas have different opening times from those in most of the rest of Europe. The **horari intensiu** runs without a break from about 8 a.m. to 2 or 3 p.m. for banks (**el banc, la caixa**), municipal and government offices (**l'ajuntament**, *town hall*; **l'administració pública**), post offices (**correus**), etc. Big supermarkets (**el supermercat**) tend increasingly to be open all day. Normally, small shops open between 9 or 10 a.m., close at 1 or 1.30 p.m. and in the afternoon they are usually open between 4–5 and 8–9 p.m., according to meal times (see Unit 5).

Exercise 3

Match the places with the opening hours:

1 estanc   2 ajuntament   3 restaurant   4 correus
5 hospital   6 supermercat

a
Migdia de 13 a 15.30 h.
Vespre de 20.30 a 23 h.

b
OBERT
de 8.15 a 14 h.

c
Matins de 9 a 15 hores

d
INTENSIU DE 10 A 21 H.

e
Matí: 9–13.30 h.
Tarda: 17–20.30 h.

f
Horari:
de 0 a 24 h.

Exercise 4

Now answer the following questions, using full sentences if you can:

1 A quina hora obre el restaurant?
2 Quin horari fan al supermercat?
3 A l'estanc, obren a la tarda?
4 Quan tenen obert a l'ajuntament?
5 A quina hora tanquen a correus?

i The euro

The euro € exists in **monedes** *coins* (of 1, 2, 5, 10, 20, 50 **cèntims** *cents* and 1 and 2 **euros**) and **bitllets** *notes* (of 5, 10, 20, 50, 100, 200 and 500 €). In some shops you can pay either **en efectiu** *in cash* or **amb targeta** *by card*.

▶ Exercise 5

Listen to the recording and write out in full the prices you hear.

i Shops

The normal word for *shop* is **la botiga** (plural, **les botigues**). The market, **el mercat**, is an important shopping place in towns of sizeable population. It is still quite normal to find small shops in villages and towns, although there are more and more big supermarkets. Small shops are **la fleca** or **el forn de pa** *baker's*, **la pastisseria** *cake shop*, **la fruiteria i verdureria** *greengrocer's*, **la botiga de queviures** *grocer's*, **la carnisseria** *butcher's* or **la peixateria** *fish shop*. The tobacconist's shop, **l'estanc**, sells postage stamps (and official forms bearing stamp duty) as well as the usual smokers' requisites.

Exercise 6

Match the products with the shop/store where they are sold, using the vocabulary list at the end of the book to check any word of which you are unsure.

1 els queviures
2 la carnisseria
3 la fleca/el forn de pa
4 la peixateria
5 la fruiteria/verdureria
6 l'estanc
7 la pastisseria

gamba   porc   coca   mel
galeta   pernil   lluç   pa
segell   all   vi   tabac
tomàquet   pastís de poma
patata   sucre

Key words and phrases

Opening times

A quina hora obren?	*What time do they open?*
Tanquen al migdia.	*They close at lunchtime.*
Tenim obert fins a les ...	*We are open until ...*

Your turn

Qui és ara? / A qui toca?	*Who is next? / Whose turn is it?*
(Em toca) a mi. / Toca a aquesta senyora.	*It's my turn. / It's this lady's turn.*

What do you want?

Què voldria?	*What would you like?*
Què li fa falta?	*What do you need?*
Què vols?	*What do you want?* (informal)

Asking for things

Voldria una barra de quart, sisplau.	*I would like a baguette, please.*
Vull un paquet de sucre, sisplau.	*I want a bag of sugar, please.*

Anything else?

Alguna cosa més? / Res més?	*(Do you need) something else? / Anything else?*
Res mes, gràcies.	*That's all, thank you.*

Paying

Quant val? / Quant et/li dec?	*How much is it? / How much do I owe you?*
Quant és tot plegat?	*How much is it altogether?*
Val 10€ i 35 cèntims. / Són 28€.	*It costs 10€ and 35 cents. / That's 28€.*

Grammar

A Some direct-object pronouns

Our introduction to direct-object pronouns is through the forms (**comprar**)-**los,** heard in Dialogue 1, **els** in Dialogue 2 and **les** in Dialogue 3. It is clear that these words, in the contexts here, refer to a masculine plural direct object, in the two first examples, and to a feminine plural in the last one: **segells** in the first, **préssecs** in the second and **llaunes** in the third.

Three main points you need to observe are that:

i   object pronouns can stand only in conjunction with a verb.
ii as well as indicating singular and plural (*it, them*), object pronouns also indicate gender.
iii The forms taken by these words may vary according to their position with the verb and according to the spelling of the verb.

The scheme, then, for *it / them* is as follows:

	Singular		*Plural*	
	m.	*f.*	*m.*	*f.*
Before verb				
Verb beginning with consonant	el	la	els	les
Verb beginning with vowel or **h** + *vowel*	l'	l'	els	les
After verb				
Verb ending in consonant or **u**	-lo	-la	-los	-les
Verb ending in **a, e,** *or* **i**	'l	-la	'ls	-les

Normally, pronouns of this kind go before the verb, except with an infinitive, a command form or the gerund (English *–ing*). Further details are given in Units 9 and 10.

Note that after the verb the pronouns are always attached to it by a hyphen or an apostrophe:

El pastís, *el* vols gran o petit?   *Do you want a big cake or a small one?*

I la farina? On *la* tens?   *And the flour? Where do you keep it?*

Vull veure'*ls* ara.   *I want to see them now.*

Els mapes? *Els* tinc al cotxe.   *The maps? They're in my car.*
Mirant-*la* m'adono que és   *Looking at her I realize she is*
    molt bonica.   *very pretty.*

B The pronoun *en*

More now on **en/n'** that we met in Unit 3. It will present no
problems for those familiar with its counterpart *en* in French.
Basically **en** corresponds to **de** (*of, from*) and a noun already
identified in the speaker's mind. It belongs to the family of
object pronouns (always appearing in conjunction with a verb)
and it obeys the rules of position and spelling described in the
previous section.

	Singular/plural
Before verb	
Verb beginning with consonant	en
Verb beginning with vowel or **h** + *vowel*	n'
After verb	
Verb ending in consonant or **u**	-ne
Verb ending in **a, e,** *or* **i**	'n

In the context of shopping **en** has an important function in
indicating a quantity of something:

De tomates, quantes en   *Tomatoes, how many (of them)*
    vols? – **En** vull dos quilos.   *do you want? – I want two*
                                        kilos (of them).

Teniu plàtans? – Ho sento,   *Do you have bananas? – I'm*
    no **en** tenim.   *sorry, I don't have any.*

▶ **Exercise 7**

Complete this dialogue in a greengrocer's:

Botiguer _____ 1?
(You)   A mi. _____ 2.
Botiguer Com _____ 3, grosses o petites?
(You)   _____ 4 petites.
Botiguer _____ 5?
(You)   Sí, també _____ 6.
Botiguer Ho sento, però no _____ 7.
(You)   Doncs, res més. _____ 8?
Botiguer _____ 9 quatre _____ 10 i seixanta-cinc
              _____ 11.

Exercise 8

Complete these sentences with an object pronoun:

1 No trobo els paquets de farina! On _____ deixes normalment?
2 Saps on és l'ampolla de vi? – No, no ho sé, però potser _____ té en Miquel.
3 Venen les entrades a l'ajuntament? – No, només _____ venen a les oficines de correus.
4 Venen bitllets d'autobús a l'ajuntament? – No, només _____ venen a l'estanc.
5 No sé on posar la fruita. – Pots posar _____ a la cuina.
6 El vi és molt bo. _____ vols provar?
7 Jo menjo molta fruita però vosaltres no _____ mengeu mai.
8 Pots agafar el llibre i portar _____ a la meva habitació.

Grammar

C Regular verbs (2)

Second conjugation

In this lesson we have found some verbs in the present tense that belong to the second conjugation (infinitive ending in -**er** and -**re**). Note that in this conjugation there are relatively few verbs which correspond to the regular model conjugation of **perdre**. **Voler** and **valer**, for example, have irregular first-person singular **vull** and **valc**.

Perdre (*to lose, to miss, to waste*)

(jo) perd-o	*I lose*	(nosaltres) perd-em	*we lose*
(tu) perd-s	*you lose*	(vosaltres) perd-eu	*you lose*
(ell/ella) perd	*he/she loses*	(ells/elles) perd-en	*they lose*

D Irregular verbs

In this unit several new irregular verbs are introduced: **fer** (*to do, to make*), **poder** (*can, to be able*), **saber** (*to know, to find out*), **valer** (*to be worth, to cost*) and **vendre** (*to sell*). Study the conjugations of **fer**, **poder** and **saber** which are very frequently used. See the **Reference tables** for **valer** and **vendre**.

fer	**poder**	**saber**
(jo) faig	(jo) puc	(jo) sé
(tu) fas	(tu) pots	(tu) saps
(ell/ella) fa	(ell/ella) pot	(ell/ella) sap
(nosaltres) fem	(nosaltres) podem	(nosaltres) sabem
(vosaltres) feu	(vosaltres) podeu	(vosaltres) sabeu
(ells/elles) fan	(ells/elles) poden	(ells/elles) saben

Exercise 9

Complete these sentences with the correct form of the present tense of the verbs in brackets:

1 _____ anar a la botiga i comprar dues barres de pa (tu)?
  Em sembla que (ells) les _____ a cinquanta cèntims.
  (poder, vendre)
2 No _____ quan _____ anar al banc (jo). _____ (tu)
  l'horari que _____ (ells)? (saber, poder, saber, fer)
3 _____ donar-me una poma (tu)? _____ gana i no
  _____ temps d'anar a comprar (jo). (poder, tenir, tenir)
4 Ells no _____ quant _____ les ampolles de vi. (saber,
  valer)
5 _____ (nosaltres) una visita a la Maria? (fer)

Grammar

E The adjective *bo*

We can say that the masculine singular form of this adjective (after the noun but not before, **bon dia**) has 'lost' the **n** which appears in the masculine plural **bons** and the feminine forms **bona, bones**.

F Questions

You have already met several words which introduce questions in Catalan, like **quant?** *how much*, **què?** *what?* and **quan?** *when?*, etc. Another kind of question is the simple yes/no type. In Catalan such questions do not entail change of word order (in English, *John is coming* but *Is John coming?*). You will have noticed (remember in Unit 2 Dialogue 2: **vint-i-un anys té el meu cosí i trenta-tres la meva cosina**) that the subject of a Catalan sentence can stand after the verb: **en Joan viu aquí = viu aquí en Joan**. The corresponding question (*Does Joan live here?*) can

likewise be expressed as **en Joan viu aquí?** or **viu aquí en Joan?**.
What gives a sentence an interrogative sense, then, making the
difference between **l'estimo** *I love her / him* and **l'estimo?** *Do I
love her / him?* is not word order but *intonation*. Your ear will
detect this and you will quickly learn to reproduce the slight rise
in final pitch that distinguishes the question from the statement:

▶ En Carles viu aquí. En Carles viu aquí?
T'estimo. T'estimo?
Viuen en aquest carrer. Viuen en aquest carrer?
Obren aquesta tarda? Sí, senyora, obren aquesta tarda.

G Spelling changes (*c > qu*), (*j > g*) (*g > gu*)

The changes of the kind seen in the parts of **tancar** (see
Grammar A in Unit 3) also affect many feminine plural forms.
As well as **ca > ques** we also encounter **ja > ges** and **ga > gues**,
in each case reflecting consistency of pronunciation.

So, **fleca > fleques, taronja > taronges, botiga > botigues**, etc.

Exercise 10
Match the words below with the correct pictures. Write both
singular and plural forms.

pera, maduixa, all, patata, raïm, taronja, pastanaga, tomata

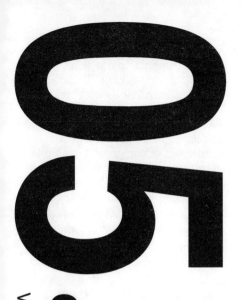

05

què fas?

what are you doing?

In this unit you will learn
- how to talk about what you are doing now
- how to discuss your daily routine
- how to say how often you do something

Before you start

The conjugated form of the verb in Catalan corresponds to three patterns in English: the first-person singular **parlo** (Unit 3) can mean *I speak*, *I do speak* and *I am speaking*. In addition, Catalan 'mirrors' the *am -ing* construction with its own combination of the irregular verb **estar** (*to be*) and a part of the verb called the gerund (see Grammar C), equivalent to the *-ing* form of the English verb. Catalan and English usage are not exactly the same, though, because use of the gerund in Catalan conveys always the idea of *(right) now*. Consider first: **Què fas? Escolto aquest disc/Estic escoltant aquest disc** (*I'm listening to this record*), where in English the *-ing* form is the only possibility.

Then compare: **Què fas aquesta tarda?** (*What are you doing this evening?*) – **Vaig al cine** (*I am going to the cinema*), where the Catalan construction **estar** + gerund cannot be used, as the idea is not *(right) now*.

In practice the common pattern in Catalan is for prompt questions to be made in the simple form, with the response often given with the continuous form: **Que dorms?** (*Are you sleeping?*) – **No, estic meditant** (or **medito**) (*No, I'm meditating*).

In this unit we complete our review of the three main types of regular verbs in Catalan. After this unit our vocabulary boxes will give just the infinitive of any verb introduced in the corresponding dialogues.

Also, from this point onwards, conjugated forms of irregular verbs will not be laid out in the Grammar sections of units where these verbs are introduced. Instead, a reference (irregular) will be given next to infinitives in the vocabulary boxes. You can then check the conjugation by consulting the **Reference tables** at the end of the book.

▶ 1 Estic llegint / *am reading*

Tim comes into the living room, where Lluís is watching the television. Then Tim goes into the kitchen.

Tim   Hola Lluís, què fas?
Lluís   Estic mirant un programa sobre animals salvatges a la tele. I tu?
Tim   Jo estic buscant el diari d'avui. No el trobo.
Lluís   El meu pare l'està llegint; és a la cuina ... Per cert, véns a la discoteca avui?

Tim No, vaig al cine amb uns amics. Hi anem un cop per setmana i avui toca.

Tim Hola Roger, què fas? Que no llegeixes el diari?
Roger No, ja estic. Ara fregeixo els bolets per al sopar.

mirar	*to look at, to watch*
sobre	*about*
salvatge	*wild*
buscar	*to look for*
el diari	*newspaper*
avui	*today*
trobar	*to find*
***llegir**	*to read*
per cert	*by the way*
venir (irregular)	*to come*
anar (irregular)	*to go*
***hi**	*there*
un cop per setmana	*once a week*
avui toca	*today is the day*
ja estic	*I've finished with it*
ara	*now*
***fregir**	*to fry*
el bolet	*mushroom*
el sopar	*dinner, evening meal*

▶ 2 El dissabte em llevo tard *On Saturday I get up late*

Pau and Montse try to find a day to go shopping.

Pau Vols venir a comprar amb mi dimecres?
Montse No puc. Cada dimecres vaig a la piscina.
Pau És clar! Ah, i dijous?
Montse Tampoc. Sortint de la feina tinc classe de francès.
Pau Estàs molt ocupada, no?
Montse Sí, el dilluns i el dimarts normalment plego tard del treball. Només tinc lliure el divendres.
Pau Llàstima, justament aquest divendres no puc. Vaig a Manresa.
Montse Doncs si vols hi anem dissabte.
Pau D'acord, però jo el dissabte em llevo tard. Et va bé a les onze?
Montse Perfecte. Jo també dormo moltes hores els dissabtes i a més no dino fins a les dues.

la piscina	*swimming pool*
és clar!	*of course!*
tampoc	*neither*
sortint	*(on) leaving*
la feina	*work*
la classe de francès	*French lesson*
ocupat/-da	*busy*
plegar	*to finish (work)*
la llàstima	*pity*
justament	*as it happens*
llevar-se	*to get up*
*dormir	*to sleep*
dinar	*to have lunch*

Els dies de la setmana *The days of the week*
dilluns *Monday*, **dimarts** *Tuesday*, **dimecres** *Wednesday*,
dijous *Thursday*, **divendres** *Friday*, **dissabte** *Saturday*,
diumenge *Sunday*; **el cap de setmana** *the weekend*

Exercise 1

True or false?

1 Lluís and Tim go to the disco together.
2 Roger is preparing tomatoes for dinner.
3 Pau is going to Manresa on Friday.
4 Pau and Montse are going shopping on Saturday afternoon.

Exercise 2

Study the dialogues and make sure you understand everything.
If you can, act them out with a partner.

Exercise 3

Listen again to Dialogues 1 and 2 and say whether the letter **c**
sounds like English **c** in *cat* or **c** in *cent* in the following words.

1 cuina   2 discoteca   3 cine   4 cop   5 francès   6 ocupada

Notice also what happens in **estic mirant, estic buscant, tinc
classe** and **tinc lliure**.

ℹ️ Meals

els àpats principals	*main meals*
l'esmorzar (m.)	*breakfast*
el dinar	*lunch*

el berenar	afternoon snack
el sopar	dinner

All these words are also the corresponding verbs: e.g. **esmorzar** *to have breakfast*. Times of meals are very flexible but in general they are later than we are used to. **El dinar** can be between 1 and 2 p.m. (but can be as late as 3–3.30 p.m., especially at the weekend). Some people, principally children, have a snack (**berenar**) in the late afternoon and, finally, **el sopar** can be taken any time between 8 and 10.30 p.m., even later in summer.

Exercise 4

Look at senyora Frigolé's diary.

18 Dilluns agost *Dinar Montse* *Gimnàs*	21 Dijous agost *5,15 dentista*

19 Dimarts
agost
      tren Mataró (8,35)
	22 Divendres
	agost *Dinar Montse*
	      concert Raimon a les 22H.

20 Dimecres
agost
      Dinar Montse
      Gimnàs amb la Rosa
	23 Dissabte 24 Diumenge
	agost agost
	Hospital
	tia Núria

Now say whether the following sentences are true or false:

1 La senyora Frigolé va al gimnàs un cop per setmana.
2 Cada dia dina amb la seva filla Montserrat.
3 Té visita al dentista dijous a la tarda.
4 Dimarts va a Mataró.
5 El cap de setmana es queda a casa.
6 Divendres al matí va a un concert.

Key words and phrases

Asking and saying what are you doing

Què fas (ara)?	*What are you doing (now)?*
Què estàs fent?	*What are you doing?*
M'estic pentinant. / Estic pentinant-me. / Em pentino.	*I am doing my hair.*

Asking and talking about daily routines

A quina hora et lleves?	*What time do you get up?*
Normalment em llevo a les set.	*I normally get up at seven.*
Quan plegues de treballar?	*When do you finish work?*
Plego tard.	*I finish late.*

Talking about pastimes (1)

Quan vas a classe d'italià?	*When do you go to your Italian lesson?*
Què fas els caps de setmana?	*What do you do at weekends?*

Saying how often you do certain things

sempre	*always*
cada dia	*every day*
sovint	*often*
normalment	*normally*
alguna vegada	*sometimes*
un cop/una vegada a la setmana/al mes/a l'any	*once a week/month/year*
poc sovint /gairebé mai	*not very often/rarely*
mai	*never*

Grammar

A Regular verbs (3)

Third conjugation

Some of the verbs in Dialogues 1 and 2 belong to the third conjugation (infinitive ending in -**ir**): **fregir**, **llegir**, **sortir**, **venir** and **dormir**. Our model for this conjugation is **dormir**.

dorm-o (*I sleep*)   dorm-im (*we sleep*)
dorm-s (*you sleep*)   dorm-iu (*you sleep*)
dorm (*he/she sleeps*)   dorm-en (*they sleep*)

In fact, the set of regular verbs belonging to the third conjugation is relatively small. **Sentir** *to hear, to be sorry*, that we have already met, is one such verb.

Sortir (see Unit 3) and **venir** are irregular. Verbs like **fregir** and **llegir** are explained in the next section.

Inceptive verbs

Most third-conjugation verbs differ from the pattern seen in **dormir**, in that they introduce an additional syllable -**eix**-between the stem and ending in all parts of the verb except first- and second-person plural. We call these inceptive verbs and we can take **llegir** as our model:

lleg-**eix**-o (*I read*)   lleg-im (*we read*)
lleg-**eix**-es (*you read*)   lleg-iu (*you read*)
lleg-**eix** (*he/she reads*)   lleg-**eix**-en (*they read*)

Exercise 5

Complete each pair with the corresponding singular or plural form as in the example:

Example: (jo) fregeixo   (nosaltres) fregim
            (ella) condueix   (elles) condueixen

1 llegeixo   _____
2 _____   deduïu
3 construeix   _____
4 dirigeixes   _____
5 _____   descobrim

Grammar

B *Ser* and *estar*

You will have noticed that Catalan has two verbs both covering senses of *to be*. For the time being you should keep an eye on the way these verbs are used in the dialogues and other materials. A pattern will begin to be established and you will find complementary explanations in Units 12 and 16.

C *Estar* + gerund

Dialogue 1 introduces the use of the gerund, which, placed with the verb **estar**, expresses something equivalent to *to be -ing*, as explained in the introductory remarks to this unit. The gerund is formed by adding to the stem of the verb the ending for its conjugation **-ant**, **-ent** or **-int** (first, second and third conjugations).

	stem	+	*ending*	>	*gerund*
preparar	prepar	+	ant	>	preparant
perdre	perd	+	ent	>	perdent
discutir	discut	+	int	>	discutint

D Reflexive verbs

A 'reflexive' verb is basically one whose subject and object are one and the same, that is the action is done 'to oneself'. This is true of **dir-se** which we have already met, and of a large number of verbs denoting daily activities. We can take **pentinar-se** *to do one's hair* as our model for how this type of verb is conjugated:

em pentino	ens pentinem
et pentines	us pentineu
es pentina	es pentinen

Note changes to some pronouns when the verb (for example **afaitar-se** *to shave*) begins with a vowel:

m'afaito	ens afaitem
t'afaites	us afaiteu
s'afaita	s'afaiten

Exercise 6

Put a verb in every blank space. Decide whether you need a simple present tense or a present continuous tense.

El senyor Carbonés normalment _____ (plegar, **1**) a les sis en punt de la tarda, però ara mateix ja són les set i encara _____ (treballar, **2**). _____ (preparar, **3**) uns dossiers molt importants. De tant en tant _____ (mirar, **4**) el rellotge.

En aquest mateix moment, la Rosa, la seva cunyada, _____ (esperar, **5**) davant de la porta perquè aquest vespre tots dos _____ (anar, **6**) al teatre.

Després d'esperar una bona estona la Rosa el truca per telèfon:

– Josep, que no _____ (venir, 7)? – Sí, d'aquí a cinc minuts _____ (baixar, 8).

Mentre _____ (esperar, 9), la Rosa aprofita el temps: _____ (maquillar-se, 10), _____ (pentinar-se, 11) els cabells i també _____ (patir, 12) perquè _____ (adonar-se, 13) que l'obra _____ (estar, 14) a punt de començar.

▶ Daily activities

despertar-se	to wake up
aixecar-se/llevar-se	to get up
dutxar-se/banyar-se	to take a shower/a bath
maquillar-se	to put on make up
afaitar-se	to shave
vestir-se	to get dressed
agafar el cotxe/l'autobús	to take/to catch the car/bus
començar/entrar a la feina	to start work
plegar/sortir de la feina	to finish/leave work
tornar a casa	to go/come home
rentar-se les dents	to brush one's teeth
rentar-se les mans/la cara	to wash one's hands/face
anar a dormir	to go to bed
pentinar-se	to do one's hair

▶ Other activities

sortir amb amics	to go out with friends
anar al cine/teatre/concert/museu	to go to the cinema/theatre/concert/museum
escoltar música/la ràdio	to listen to music/the radio
mirar la televisió	to watch television
anar a comprar	to go shopping
fer esport	to practise sport
llegir un llibre/el diari	to read a book/the newspaper
netejar la casa	to clean the house
rentar/planxar la roba	to wash/iron clothes

Exercise 7

Using the information above, together with what we have learned about telling the time in Catalan, write a detailed account of what you normally (**normalment**) do on a weekday (**dia d'entre setmana**) and at the weekend (**cap de setmana**). This will be a reinforcement of Exercise 8 below and a very good way of practising the use of the various types of verbs represented here.

Exercise 8

Look at Quim's daily routine and write down a correct sentence for every picture (**a** to **j**) using the appropriate verbs and times. For further practice, express the same sequence of events in the first person.

Grammar

E The pronoun *hi*

One of the main functions of this word is to express the idea of *there* (as seen in Units 2 and 3), either as destination or location. Basically **hi** represents a (*to*, *at*, *in*) plus the idea of a place or activity already identified in the speaker's mind, as is seen clearly in Montse's **hi anem** in Dialogue 2, where **hi** means a **comprar**.

F Negation

In Catalan simple negation is expressed by **no** immediately preceding the verb, in both statements and questions.

No vol patates.	*S/he doesn't want any potatoes.*
No vol patates?	*Does s/he not want potatoes?*

Sometimes with **no** in the same sentence we can find other negative particles. **No** always goes before the verb, and all other adverbs are placed after. Some Catalan speakers use emphatic **pas**, situated after the verb too.

Vas sovint al teatre?	*Do you go to the theatre often?*
No, (**no** hi vaig sovint).	*No, (I don't go often).*
No, no hi vaig **mai.**	*No, I never go.*
No, no hi vaig **pas mai.**	*No, I never go.*
No, ja no hi vaig **més.**	*No, I don't go any more.*

More details on negatives will be given in Unit 6.

Exercise 9

Read these sentences and write down a question for every one.

1 No, no hi vaig avui.
2 Hi vaig tres cops per setmana.
3 Esmorzo a les vuit.
4 Els dimecres a la tarda.
5 Surt a les set.
6 Vaig d'excursió a la muntanya.

Reading

Try, first of all, to see how much of the following passage you can understand without referring to the **Catalan–English vocabulary** at the back of the book. Then use the vocabulary list to fill any gaps in your comprehension.

Publica un diari local que en la societat actual hi ha molt jovent que treballa més hores del normal per a poder marxar de casa dels pares. En Pere Molas n'és un exemple: serveix en un bar entre setmana i les nits del cap de setmana condueix un taxi. Treballa molt perquè està estalviant per poder pagar l'entrada d'un pis. Ell vol quedar-se a viure a Barcelona, però els preus de l'habitatge són molt alts. Com que treballa tant no té temps per a divertir-se, perquè sempre està cansat i prefereix quedar-se a casa i relaxar-se: mira alguna pel·lícula o llegeix llibres de ciència-ficció. Algun diumenge va a veure un partit de futbol i els dissabtes a la tarda els dedica a la forma física: passa unes dues hores al gimnàs fent exercicis i de tant en tant juga a tennis amb un amic del barri.

Exercise 10
Now answer these questions in English, or in Catalan if you feel confident enough.

1 Why does Pere Molas work in two different places?
2 What are property prices like in Barcelona?
3 What does he enjoy doing?
4 Does he take any physical exercise?
5 If so, when?

06

al restaurant

at the restaurant

In this unit you will learn
- how to talk about preferences
- how to order meals and drinks
- how to ask for and give suggestions

▶1 Menú o carta *Table d'hôte or à la carte*

Tim and his friends are in a typical restaurant, Can Sebastià. They have been looking at the menu for a while.

Cambrer Què volen menjar?

Ester Per a mi de primer peus de porc i de segon xai amb guarnició.

Cambrer Em sap greu, però de xai no ens en queda gens. Tenim mongetes amb botifarra.

Ester D'acord, agafo les mongetes.

Cambrer I vostès?

Tim Jo m'estimo més escollir de la carta. Què m'aconsella?

Cambrer De primer li recomano el pastís de peix, especialitat de la casa, o el plat d'embotits de la comarca acompanyat de pa amb tomàquet.

Mireia Per a mi el pastís i de segon llenguado a la planxa.

Tim Doncs per a mi i en Jordi els embotits i després ànec amb naps.

Cambrer I per beure?

Mireia Vi de la casa, aigua i dues ampolles de cava.

Cambrer El vi, el prefereixen rosat o negre?

Ester Millor rosat. I l'aigua sense gas, sisplau.

menjar	*to eat (also, to have lunch)*
els peus de porc	*pig's trotters*
el xai amb guarnició	*lamb with garnish*
***quedar**	*to be left, to remain*
***gens**	*(not) any*
les mongetes	*beans*
la botifarra	*Catalan pork sausage*
agafar	*to take, to have*
estimar-se més	*to prefer*
escollir	*to choose*
aconsellar	*to recommend, to advise*
el pastís de peix	*fish pie*
el plat	*dish, plate, course (of meal)*
els embotits de la comarca	*local cured meats, ham (or salami)*
el llenguado a la planxa	*grilled sole*
l'ànec amb naps (m.)	*duck with turnips*
beure (irregular)	*to drink*
el vi de la casa	*house wine*

l'aigua (f.) sense gas	*still mineral water*
el cava	*cava (Catalan champagne-style sparkling wine)*
(el vi) rosat	*rosé (wine)*
(el vi) negre	*red (wine)*

▶2 M'agrada el cava / *like cava*

During the dinner they talk about the food and drinks.

Ester	Què et sembla el llenguado, t'agrada?
Mireia	Sí que m'agrada, però està massa fet pel meu gust. I la botifarra, és bona?
Ester	És boníssima, de debò.
Jordi	A mi l'ànec em sembla que és una mica salat. El vols provar?
Ester	No, gràcies ... El que m'agrada més de tot és el vi.
Jordi	Està bé, tot i que jo m'estimo més el cava.
Tim	Doncs a mi ja m'agrada el vi i el cava també, però com la cervesa no hi ha res.

què et sembla ...?	*what do you think about ...?*
***semblar**	*to seem*
sí que ...	*sure ...*
***agradar**	*to please, to be pleasing/ likeable*
massa	*too much*
fet/-a	*done, cooked*
pel meu gust	*to/for my taste*
***boníssim/-a**	*very good, really good*
de debò	*really*
una mica	*a little bit*
salat/-da	*salty*
provar	*to taste*
el que	*what (that which)*
de tot	*of all*
està bé	*it's ok*
tot i que	*although*
***ja**	*see Grammar Unit 7*
com ... no hi ha res	*there's nothing like ...*

▶3 El compte, sisplau! *The bill, please!*

Finally, it's time for the dessert and coffees.

Cambrer	Què els ve de gust de postres?
Jordi	Què teniu?
Cambrer	Crema catalana, flam, gelats, pastís de xocolata, de llimona i de formatge.
Mireia	Teniu gelat de vainilla?
Cambrer	Ho sento, de vainilla no ens en queda cap. N'hi ha de maduixa o de xocolata.
Jordi	I la crema, és de la casa?
Cambrer	Oh i tant!
Jordi	Decidit doncs: dos flams amb nata, un pastís de llimona i un gelat de xocolata.
Cambrer	Volen cafès?
Ester	Sí, dos tallats descafeïnats, un cafè i una infusió.
Cambrer	Volen més aigua o cava?
Tots	No, ja n'hi ha prou.
Ester	Ah, i el compte, sisplau!

*els	*to you*
venir de gust	*to appeal*
les postres	*dessert*
la crema catalana	*crème brulée*
el flam	*crème caramel*
el gelat	*ice cream*
el pastís	*cake*
la llimona	*lemon*
*cap	*any*
de la casa	*home made*
oh i tant!	*of course!*
la nata	*cream*
*la infusió	*infusion, herbal tea*
ja n'hi ha prou	*that's enough*

Exercise 1

True or false?

1 Ester is going to have lamb because there are no more beans.
2 Jordi and Tim eat the same dish.
3 Tim prefers beer to wine or cava.
4 At dessert time they order more cava.

Exercise 2

Read each dialogue again and make sure you can understand them in detail. Keep up the practice of repeating what you hear in the recording out loud, and of working with a partner (if you can) to act out each dialogue.

Exercise 3

Now listen again to the dialogues and say whether the last consonant of the words below is sounded or not.

1 menjar   2 primer   3 segon   4 sap   5 d'acord
6 escollir   7 gust   8 tant

ℹ Restaurants

The food of the Catalan-speaking areas is a notable example of the Mediterranean diet (**la dieta mediterrània**), in all its rich variety. The local cuisine is understood as a significant feature of the distinctive national culture. **Pa amb tomàquet**, for instance, is as much a staple item as is the pizza for Italians. Not all restaurants offer Catalan or traditional food, and there are more and more places with foreign or cosmopolitan dishes. Traditional restaurants usually provide a **menú del dia** *table d'hôte*, with some starters (**primer plat**) to choose from, followed by a selection of main courses (**segon plat** or **plat principal**) and desserts (**les postres**). Sometimes the **menú del dia** includes bread, drink and coffee. Always look carefully to see whether prices include VAT (**IVA, impost sobre el valor afegit**) or not. It is never obligatory but it is usual to leave a tip (**la propina**).

ℹ Can Sebastià

Can Sebastià (literally translated, *Sebastià's house/home*) is the name of the restaurant in the dialogues of this unit. Here **can** is a contraction of **ca** + personal article **en**, and the same feature occurs with **ca + el** > **cal** and **ca + els** > **cals** (but there is no contraction in **ca la**, **ca l'** or **ca les**). **Ca** itself is a contraction of **casa de** and, rather like its French counterpart *chez*, it appears regularly in the names of restaurants, country houses or estates. Note also that **ca** itself can be preceded by either **a** or **de**: **Vaig a cals pares** (*I'm going to my parents' (house)*); **Vénen de Ca l'Antònia** (*They have come from Ca l'Antònia*).

🛈 Catalan dishes

Here are some of the most common Catalan dishes (complementing those which already feature in the dialogues):

Primer plat	First course
l'amanida (f.)	salad
la sopa (de peix, de verdures)	(fish, vegetable) soup
l'escalivada (f.)	char-grilled vegetables
l'esqueixada (f.)	cold salad of flaked **bacallà** (see below)
els cargols	snails
els calamars a la romana	squid fried in batter
les anxoves amb torrades	anchovies with toast
l'escudella i carn d'olla (f.)	traditional stew
la paella	paella
l'arròs (m.)	risotto

Some of these dishes are served with traditional **pa amb tomàquet** (bread rubbed with fresh tomato and seasoned with olive oil and salt). This is also the usual way a sandwich (**un entrepà**) is prepared.

Segon plat	Second course
la carn	meat
el pollastre, el conill	chicken, rabbit
el (porc) senglar	wild boar
el bistec/l'entrecot de vedella (m.)	steak
la truita (de patates, d'espàrrecs, etc.)	(Spanish, asparagus, etc.) omelette
el peix (fresc o congelat)	fish (fresh or frozen)
el lluç	hake
el rap	monkfish
el bacallà (fresc, salat)	(fresh, salt-dried) cod

Meat can be served with **allioli** and garnished with fresh vegetables, potatoes or French fries (**patates fregides**). The most current cooking techniques are: charcoal-grilled (**a la brasa**), grilled (**a la planxa**), roasted (**rostit**), fried (**fregit**), baked (**al forn**) or boiled (**bullit**).

Postres	Desserts
els fruits secs	dried fruits
el recuit, el flam	cottage cheese, crème caramel
(la) mel i (el) mató	honey and cottage cheese

Begudes	Drinks
el vi (rosat, negre o blanc)	*wine (rosé, red or white)*
la cervesa	*beer*
el licor	*spirit*
el refresc	*soft drink*
l'aigua (amb gas/sense gas)	*water (fizzy, still)*
el suc de taronja, pinya ...	*orange, pineapple ... juice*
el te	*tea*
el cafè	*coffee*

el porró

Exercise 4

Look at these four restaurant advertisements and then answer the questions:

a

Restaurant **La Guineu**

Cuina tradicional Catalana
·
Obert cada dia (excepte dimarts)
·
Acceptem grups

b
Ca l'Andreu
• *Restaurant amb productes* •
de la comarca
• *Menús i Carta* •
• *Ampli menjador* •
• *Obert cada dia* •

c
El Rebost d'en Quim
Cuina vegetariana
Menú del dia 9 €
Descans setmanal el dilluns

d
Mas Molinet
ESPECIALITATS MARINERES
Productes frescos
Obert als vespres
Pàrquing privat

1 Quin o quins restaurants ofereixen plats vegetarians?
2 Quin o quins restaurants tanquen un cop per setmana?
3 Quin o quins restaurants tenen menús?
4 Quin restaurant és millor per a menjar peix?
5 Quin o quins restaurants s'especialitzen en cuina catalana?
6 A quin restaurant no hi pots anar a dinar?

▶ **Exercise 5**

Listen to the recording. A young couple are ordering a meal in a restaurant. Write **A** (woman) or **B** (man) next to each dish or drink according to the person who is speaking:

Primers		Segons	
Escalivada	____	Bistec amb patates	____
Esqueixada	____	Pollastre rostit	____
Amanida	____	Botifarra amb mongetes	____
Sopa de verdures	____	Lluç a la planxa	____

Postres		Begudes	
Crema catalana	____	Aigua	____
Mel i mató	____	Vi negre	____
Gelat de vainilla	____	Cervesa	____

Key words and phrases

Asking about and ordering meals and drinks

Què teniu/tenen de primer?	*What do you have as starters?*
Què hi ha de postres?	*What is there for dessert?*
Què podem beure?	*What can we drink?*
Per a mi una cervesa. /	*For me, a beer. /*
Jo vull una copa de vi.	*I want a glass of wine.*

Asking for and giving suggestions

Què m'aconsella de segon?	*What do you suggest for my main course?*
Li aconsello agafar ...	*I suggest you try ...*

Expressing what you prefer

A mi m'agrada més el peix.	*I like fish best./I prefer fish.*
Jo m'estimo més la carn.	*I like meat best.*
M'estimo més beure aigua.	*I prefer to drink water.*
Com el peix no hi ha res.	*You can't beat fish.*

T'agrada el xai?	*Do you like lamb?*
No, no m'agrada (gaire/gens).	*No, I don't like it (much/at all).*
Sí, però és …	*Yes, but it's …*
salat/-da	*salty*
fat/-da	*tasteless*
cru/-a	*raw*
cuit/-a	*well cooked*

Saying how much you like things

massa	*too much*
molt	*very*
força	*quite a lot*
una mica	*a little*
poc	*not much*
no … gaire	*not very much*
no … gens	*not at all*
no …. gens ni mica	*not one tiny little bit*

▶ Exercise 6

Match each sentence in the left-hand column with the correct one from the right.

1 T'agrada el menjar?
2 Què vols de postres?
3 Ens agrada molt el pollastre.
4 Hi ha molt poques patates amb el xai.
5 Què ens aconsella de segon?

a Doncs a mi no m'agrada gens.
b Sí, és força bo.
c M'estimo més no menjar res.
d Què prefereixen, carn o peix?
e En pots demanar més al cambrer.

Grammar

A Negatives: *gens* and *cap*

No … **gens (de)** *none/not any (at all)* and **no … cap** *none/not (a single) one* are used respectively in negative sentences to refer to an item in general, (**no … gens**), and to an identifiable single item (**cap**). So, in Dialogue 1 we find **de xai no ens en queda gens** (= **no ens queda gens de xai**), where **gens** refers to the general and non-countable item **xai**. In Dialogue 3 there is **de (gelats de) vainilla no ens en queda cap**, where **cap** refers to **gelat de vainilla**. Here the speaker is thinking of individual ice cream servings. Otherwise he would have said (**de gelat de vainilla**) **no**

ens en queda gens, understanding vanilla ice cream as a mass noun. The use of both terms tends to be emphatic and often one hears just **no en queda** or **ja no me'n queda**. Look at some other examples:

Tens pomes? No, no en tinc cap.	*Do you have apples?* *No, I haven't got any at all / a single one.*
No tinc gens de por.	*I am not at all afraid.*

Exercise 7

Complete the sentences using **cap** or **gens** (**de**) and a verb if required:

1 Portes el diari? No, a la botiga ja no en queda _____.
2 Em dones més vi? Ho sento però _____.
3 Vols dinar? Ui, no tinc _____ gana.
4 Vénen els teus germans al concert? No, no en ve _____.
5 Avui a la universitat no hi ha _____ professor. No hi ha classe.
6 En Pere és molt impacient: de paciència no en _____.
7 No _____ ampolla d'aigua a la nevera!

Grammar

B Indirect object pronouns

em	*to me*
et	*to you*
li	*to him/her; to you* (**vostè**)
ens	*to us*
us	*to you*
els	*to them; to you* (**vostès**)

Indirect object pronouns are used to represent a person who is the recipient or beneficiary of the action of the verb. In Dialogue 1 there is **Què m'aconsella? De primer li aconsello el pastís de peix ...** where **m'** means **a mi** *to me*, and **li** represents **a vostè** *to you* (formal). See the **Reference tables** for forms according to position and to spelling of the verb.

C The verbs *agradar, semblar* and *quedar*

Expressing the idea of *to like* usually involves use of the verb **agradar** (*to please*). The form of **agradar** will vary according to whether what is liked is singular or plural. We often find the repetition of the person for emphasis, for example: **Doncs** *a mi* ja *m'*agrada el vi (Dialogue 2).

Li agrada aquest plat.	*S/he likes this dish.*
Ens agraden els vins del Penedès.	*We like wines from the Penedès district.*

A similar change in construction is seen in the use of the verb **quedar** (*to remain, be left*) to express the idea of *to have left*, and **semblar** (*to seem*) used to mean *to think (of)*. Note again agreement of the verb with what *remains* or what *seems* and also use of the indirect object pronoun (corresponding to the subject in English).

Només em queden vint euros.	*I have only 20 euros left* (lit. *only 20 euros are left to me*).
Aquest vi em sembla massa fort.	*I think this wine is too stong* (lit. *this wine seems too strong to me*).
De botifarra no ens en queda.	*We have no more sausage* (lit. (**botifarra**) *there is none of it remaining to us*).

Part of the complexity of this last sentence (a very common Catalan construction) is explained by the fact that **en** (combined with the other pronoun, **ens**) refers back to **botifarra**.

Venir de gust (literally *to appeal*) also behaves in a comparable manner: **Ara no em ve de gust ...** (*I don't feel like ... now*).

Exercise 8

Fill in the blanks with an indirect object pronoun and / or with a verb in the present tense, using the final vocabulary list to check the meaning of any word you are unsure of:

A la meva filla _____ (agradar, **1**) molt sortir de nits. Cada cap de setmana _____ (gastar-se, **2**) més de 50€ en begudes, discoteques i transport. A ella no _____ (**3**) sembla extravagant gastar-se tants diners. Jo _____ (**4**) dic que és millor fer altres coses però ella no _____ (escoltar, **5**). Alguns amics seus _____ (venir, **6**) a casa els divendres al vespre. Posen música o _____ (tocar, **7**) la guitarra. Fan molt soroll i a mi i al meu marit _____ (molestar, **8**) moltíssim. _____ (**9**) diem d'anar al bar però sovint no _____ (**10**) fan cas. A mi no _____ (semblar, **11**) correcte el seu comportament.

Grammar

D Adjectives intensified

Molt + adjective is the equivalent of *very* + adjective: **una cuina molt vella** *a very old kitchen*. A similar intensifying sense is conveyed by the suffix **-íssim/-a** attached after the adjective.

El peix és caríssim.	*Fish is very expensive.*
Aquestes mongetes són saladíssimes.	*These beans are very salty.*

See how the **n** (Unit 4 Grammar E) appears in **boníssim/-a**.

E Feminine article *l'* or *la*

In Unit 1 we introduced the use of articles with singular nouns. We noted that **la** becomes **l'** before feminine singular nouns beginning with a vowel or **h** + vowel. But, as seen in **la infusió** (see the vocabulary box for Dialogue 3), there are some exceptions. So, **la** is maintained when it is followed by a noun beginning with unstressed **i, u, hi, hu**:

la universitat	la Isabel
la humanitat	la història

But the apostrophe appears before a stressed initial vowel: **l'illa** *the island* or **l'ungla** *the (finger) nail*.

Reading

For this and subsequent reading exercises, see the guidance given in Unit 5.

Estimada Marta,

Sóc al Pirineu i estic esquiant amb uns amics. Em diverteixo molt. El que més m'agrada és baixar per les pistes, però no m'agrada gens fer cua per a pujar-les. Als matins ens llevem aviat, tot i que a mi em costa molt, com sempre. A la tarda passegem pel poble o ens estem en un bar. Al vespre anem a menjar sempre al restaurant. Ahir a la pizzeria Don Antonio, molt malament. Avui anem a Ca la Catarina: sembla que és el millor de la comarca. Ja saps que a mi m'agrada molt la cuina elaborada.

I per Tarragona, va tot bé?

Una abraçada,

Albert

Exercise 9

First, observe here the conventions followed in an informal letter (**carta**) or postcard (**postal**) in Catalan. Then read the text again carefully and make a list of Albert's likes and dislikes.

    A Què li agrada fer a l'Albert?
    B Què no li agrada fer a l'Albert?

For further practice you can compose a similar letter to a friend explaining your own tastes and preferences.

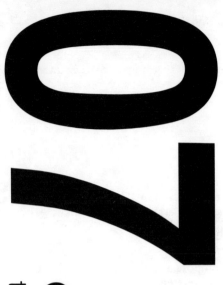

07

els transports

transport

In this unit you will learn
- how to book a train or plane ticket
- how to express opinions about people and things
- how to make simple comparisons

▶ 1 Vull un bitllet d'avió *I want a plane ticket*

Tim is making a booking at the travel agency (**l'agència de viatges**).

Tim	Voldria comprar un bitllet d'avió d'anada i tornada a Palma de Mallorca.
Noia	Quin dia vols viatjar?
Tim	El quinze de setembre.
Noia	I la tornada?
Tim	El deu d'octubre.
Noia	Quantes persones?
Tim	Dues. El més econòmic possible, sisplau.
Noia	Hi ha una oferta per a estudiants. És un bitllet tancat, no reemborsable ni modificable.
Tim	Que puc reservar-lo ara i demà el vinc a pagar amb la targeta de crèdit?
Noia	Oh i tant!

el bitllet	*ticket*
l'avió (m.)	*plane*
l'anada (f.)	*outward journey*
la tornada	*return journey*
viatjar	*to travel*
econòmic/-a	*cheap, economical*
no ... ni	*neither ... nor*
reemborsable	*refundable*
reservar	*to book*
pagar	*to pay for*
la targeta	*card*

Els mesos de l'any *Months of the year*

gener *January,* **febrer** *February,* **març** *March,* **abril** *April,* **maig** *May,* **juny** *June,* **juliol** *July,* **agost** *August,* **setembre** *September,* **octubre** *October,* **novembre** *November,* **desembre** *December*

▶ 2 Segona classe i no fumador
Second class and non-smoking

Esteve, meanwhile, has gone to make an enquiry at the railway station.

Esteve	Voldria informació sobre trens per a Castelló de la Plana.
Empleada	Per a quan?
Esteve	Demà o demà passat, m'és igual. Però al matí, eh!
Empleada	Hi ha un tren directe, amb sortida de Barcelona-Sants a les 9.20 i arribada a Castelló a les 11.10. Aquest tren només accepta reserves.
Esteve	Quant val, anada i tornada?
Empleada	Primera o segona classe?
Esteve	Segona i no fumador.
Empleada	Són 32€60.
Esteve	I més barat, no teniu res?
Empleada	El més barat és agafar el tren que va a Tarragona i allà es fa el canvi cap a Castelló. Aquest tren para a totes les estacions.
Esteve	Quant dura el viatge?
Empleada	Depèn de l'estona d'espera a Tarragona. Al voltant de tres hores.
Esteve	Molt bé. Gràcies … mmm … l'estació d'autocars és a prop d'aquí?

l'empleat/-da	*employee*
demà passat	*the day after tomorrow*
m'és igual	*I don't mind*
la sortida	*departure*
l'arribada (f.)	*arrival*
no fumador	*non-smoking*
barat/-a	*cheap*
*es fa el canvi	*one changes*
parar	*to stop*
dependre	*to depend*
l'estona (f.)	*(short) time*
l'espera (f.)	*wait, waiting*
al voltant (de)	*around*
l'autocar (m.)	*coach*

▶ 3 És tan antipàtica com sempre *She is as unfriendly as ever*

Later, Tim meets Esteve outside the station.

| Tim | Què, ja tens el bitllet? |
| Esteve | No, encara no. És que no sé què fer. Trobo que viatjar amb tren és còmode i també agradable perquè pots contemplar el paisatge i tot això, però és car. En canvi |

l'autocar és avorrit i cansat, però molt més barat.

Tim Però tu pots escollir. Jo, per anar a Mallorca només tinc una opció, agafar l'avió. Ja sé que també s'hi pot anar amb altres mitjans, però gairebé tothom agafa l'avió: no hi ha res tan ràpid i segur com l'avió.

Esteve A mi no em diverteix gens l'avió, més aviat em fa por.

Tim Per cert, saps amb qui acabo de parlar?

Esteve No, amb qui?

Tim Amb la Marta Roura.

Esteve Què dius ara! Aquella tan antipàtica i creguda? Què en penses tu?

Tim Trobo que ara és més senzilla i agradable.

Esteve La veritat és que a mi em cau molt malament. A més, no és gens divertida.

*ja	already
encara no	not yet
és que	the fact is that
amb	by (means of transport)
còmode/-a	comfortable
agradable	nice
el paisatge	landscape, scenery
car/-a	expensive
en canvi	on the other hand
avorrit/-da	boring
cansat/-da	tiring
l'opció (f.)	option
*s'hi	see Grammar C
*altre/-a	other
el mitjà	means, way
gairebé	nearly
*tothom	everybody
*tan ... com	as ... as
ràpid/-a	fast
segur/-a	safe
fer por	to frighten
*acabar de (+ infinitive)	to have just
què dius ara!	go on!, you are kidding!
antipàtic/-a	unlikeable, unfriendly
cregut/-da	conceited
pensar	to think
senzill/-a	simple, natural, straightforward
la veritat	truth
caure malament	to be disagreeable
divertit/-da	amusing

Exercise 1

Veritat o fals?

1 En Tim paga el bitllet d'avió amb targeta bancària.
2 Tots els trens de Barcelona-Sants a Castelló són directes.
3 A l'Esteve no li agrada gaire viatjar amb avió.
4 L'Esteve no coneix la Marta Roura.

Exercise 2

Read the dialogues in this unit again on your own, checking the words or sentences you don't understand. If possible, act them out with a partner.

Exercise 3

Listen again to the dialogues and say whether the **s** in these words sounds like **s** in English *see* or **s** in English *nose*:

1 setembre   2 quantes   3 persones   4 sisplau
5 reservar-lo   6 pots   7 paisatge

Then listen carefully and try to imitate the way this sound can be modified according to position and contact with other sounds:

el més econòmic   és un bitllet   el més barat és agafar
allà es fa el canvi   tres hores   només tinc

Exercise 4

Label the following illustrations with the words listed below. Try to do this exercise without looking at the vocabulary lists at the back of the book.

| moto (f.) | bicicleta (f.) | cotxe (m.) | tren (m.) |
| barca (f.) | vaixell (m.) | avió (m.) | autocar (m.) |

▶ The seasons

Les estacions de l'any

la primavera *spring*
la tardor *autumn*

l'estiu (m.) *summer*
l'hivern (m.) *winter*

Key words and phrases

Booking or buying a plane/train ticket

Voldria un bitllet per
 a (lloc) pel (dia).
Primera o segona classe?
Fumador o no fumador?
Anada i tornada?
Paga en efectiu o amb
 targeta?

*I would like a ticket to (place)
 for (day).*
First or second class?
Smoking or non-smoking?
Return?
*Will payment be by cash
 or credit card?*

Asking for and giving opinions (1)

Què et sembla ...? Què en
 penses (de) ...?
Penso que ...
Trobo que ...
Em sembla que ...
Crec que ...

What do you think about ...?

I think that ...
I find that ...
It seems to me that ...
I believe that ...

Making simple comparisons (1)

La Maria és tan simpàtica
 com la Neus.
L'autobús és més barat que
 el metro.
La meva casa és menys cara
 que la seva.

Maria is as nice as Neus.

*The bus is cheaper than the
 underground.*
*My house is less expensive
 than theirs.*

▶ Some common descriptive adjectives

avorrit/-da	*boring, bored*	tímid/-a	*shy, timid*
interessant	*interesting*	amable	*kind*
divertit/-da	*funny, amusing*	simpàtic/-a	*nice*
agradable	*pleasant/nice*	cregut/-da	*big-headed*
cansat/-da	*tiring, tired*	elegant	*well-dressed*
còmode/-a	*comfortable*	intel·ligent	*intelligent, clever*
maco/-a	*nice*	atractiu/-iva	*attractive*
alegre/-a	*cheerful*	llest/-a	*clever, bright*

Exercise 5

Which is **not** an appropriate answer for each question? Eliminate one sentence in each case.

1 Què et sembla en Miquel?
a Trobo que és massa tímid.
b Jo penso que és prou divertit.
c Jo crec que és molt amic.

2 Què prefereixes, el tren o l'autocar?
a Vull el tren.
b M'estimo més el tren.
c M'agrada més viatjar amb tren.

3 Què en penses del pis de l'Eloi?
a M'agrada més el meu.
b M'agrada, però és massa petit.
c M'agrada més que la meva.

4 No queden places a l'avió?
a No, no ens en queda cap.
b No, no n'hi ha gens.
c No, no hi ha cap plaça.

5 Quin dia vol viatjar?
a Entre el 10 i el 14 de desembre.
b Al voltant del mes de desembre.
c El 12 de desembre al matí.

6 Amb què viatges a Madrid?
a Amb ningú, viatjo sol.
b Sempre amb avió.
c Amb el cotxe o amb el tren.

Grammar

A Indefinite pronouns

	Things	People
Affirmative / interrogative	alguna cosa	algú
	something	*somebody / someone*
Negative / interrogative	res	ningú
	anything / nothing	*nobody / no one*
Affirmative / interrogative	tot	tothom
	everything	*everybody / everyone*

Tens **alguna cosa** a la maleta?   Sí, hi tinc **alguna cosa**./
                                     No, no hi tinc **res**.

Que tens **res** a la maleta?   Sí, hi tinc **alguna cosa**./
                                     No, no hi tinc **res**.

Que hi ha **algú** a casa?   Sí, hi ha **algú**./
                                     No, no hi ha **ningú**.

Que no hi ha **ningú** a casa?   Sí, hi ha **algú**./
                                     No, no hi ha **ningú**.

Qui ve a la festa?   Hi ve **tothom**.
Què hi ha a la festa?   Hi ha de **tot**.

Exercise 6

Complete the sentences with a negative or indefinite (**gens, cap, res, ningú** ...).

1 Qui hi ha al restaurant?   No hi ha _____.
2 Que tens segells?   No, no en tinc _____.
3 Queda aigua a la nevera?   No, no en queda _____.
4 Queda alguna cosa a la nevera?   No, no hi queda _____.
5 No hi ha ningú al pis?   Sí, hi ha _____.

Grammar

B *Acabar de* with the infinitive

Acabar de + infinitive (as heard in Dialogue 3) is a frequently used way of expressing the idea of *to have just*, for example, **acabem d'arribar** *we have just arrived*. Note that **acabar** (without any preposition) means *to finish*, *to end*.

C Impersonal *es*

The particle **es** (**s'** before a vowel sound) is used to form an 'impersonal' expression in these sentences: **allà es fa el canvi cap a Castelló** (Dialogue 2) and **també s'hi pot anar amb altres mitjans** (Dialogue 3). In both cases **es** is a sort of equivalent of the English pronoun *one* as the subject of impersonal expressions. But the English translation of **es** is not always *one*:

	(How does one write ... in Catalan?)
Com s'escriu en català ...?	*How do you write in Catalan ...?*
	How is ... written in Catalan?

Here **es/s'** clearly behaves like the reflexive pronoun, but the impersonal construction has quite a different function. We will do more work with impersonal **es/s'** in Units 9 and 14.

D *Ja* and *encara*

Although the basic meaning of **ja** is *already*, we have seen other uses of this word, principally in Unit 2, where **ja** was accompanied by negative **no**: **Ja no hi viu** means *He no longer lives there*. In interrogative sentences **ja** can be translated by *yet*: **Ja tens el carnet?** *Have you got your licence yet?* The same happens with **encara**, literally translated by *still* (seen already in Unit 2), which has a different meaning in this sentence, from Dialogue 3: **Ja tens els bitllets? No, encara no** *Have you got the tickets yet? No, not yet*. In other cases **ja** corresponds to *(by) now*: **Tot això ja és molt diferent** *All this is very different now*.

As already seen, **ja** often serves to reinforce a verb, without any direct translation in English.

Cambrer! – Ja vinc.	*Waiter! – (I'm) coming.*
Ja veig que és molt difícil.	*I can see that it's very difficult.*
Ja n'hi ha prou.	*That's enough.*

▶ Exercise 7

Listen carefully to the recording. You will hear a girl asking for a return ticket to Minorca by plane. Then answer the following questions:

1 Quin dia agafa l'avió?
2 Quin moment del dia viatja a l'anada?
3 Quant dura el viatge?
4 Quant val el bitllet?
5 Què opina del preu?

Grammar

E Comparisons (1)

The basic structure of comparisons is:

més ... que	*more ... than*
menys ... que	*less ... than*
tan ... com	*as ... as*

Here are some examples from Dialogue 3:

Encara és **tan** antipàtica i creguda **com** sempre?

No, ara és **més** senzilla i agradable (**que** abans).

Millor *better*, **pitjor** *worse*, **major** *bigger* and **menor** *smaller* are the only single-word comparative forms in Catalan. Like their English equivalents, these four instances are not made with **més** *more* + adjective/adverb. But we do also find even in these cases the comparatives formed with **més**: **més bó/més bé** *better*, **més dolent/més malament** *worse*, **més gran** *bigger*, **més petit** *smaller*.

Aquest llibre és **més bo** que aquell.	*This book is better than that one.*
Aquest llibre és **millor** que aquell.	*This book is better than that one.*
Aquest llibre és el millor.	*This book is the best.*

Note that the superlative (*biggest, fattest*, etc. ...) is the same as the comparative in Catalan, and that reference is indicated by **de**: **la noia més llesta de la classe** (*the cleverest girl in the class*).

F Adjectives: forms of agreement

We have got used to the idea of agreement (number and gender) of adjectives in Catalan, and to the feature of the ending **-a** as the usual feminine singular marker, with **-es** for feminine plural. The most common pattern is:

m.s.	*f.s.*	*m.pl.*	*f.pl.*
	-a	-s	-es
fort	forta	forts	fortes

There may be modifications to the stem which the foreign learner soon becomes familiar with:

cregut	creguda	creguts	cregudes
menorquí	menorquina	menorquins	menorquines

Observe that adjectives ending with a vowel + **ç** are invariable in the singular but have distinctive masculine and feminine endings for the plural:

feliç	feliç	feliços	felices
dolç	dolça*	dolços	dolces

*This is the main exception.

Other adjectives have an invariable singular form matched by an invariable plural:

fàcil	fàcil	fàcils	fàcils
igual	igual	iguals	iguals

As we are working here from the spoken language we need not worry too much about those spelling changes which reflect consistency of pronunciation, for example **feliços/felices, danès/danesa, simpàtics/simpàtiques.**

Reference table 1 presents the main patterns of forms/spellings for both nouns and adjectives.

Exercise 8

Look at the pictures (1–6) and write a comparison using the adjectives below, to make an expression like **A és més petit que B** or **A és tan bo com B**. Always begin with A.

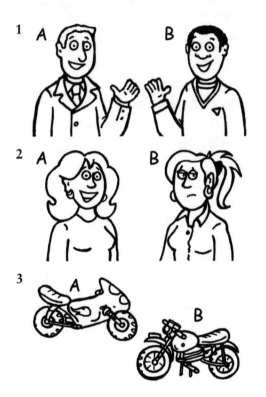

| feliç |
| modern |
| ràpid |
| alt |
| jove |
| gros |

Exercise 9

Complete the following sentences with one of the adjectives from the box. Remember to observe agreement as necessary.

1 La Montse i la Carme són bessones; són _____.
2 El carrer és massa estret, en canvi la carretera és massa _____.
3 La seva despesa és molt _____ a la meva.
4 Trobo que la seva cosina és _____ però _____.
5 Aquesta lliçó és _____ per a aprendre bé la llengua.
6 La carn d'aquesta carnisseria m'agrada; és molt _____.

útil   igual   superior   bo   amable   ample   avorrit

Exercise 10

Mots encreuats *Crossword*

Horitzontals
1 Hi compro el pa.
2 Si no és solter pot ser _____.
3 El número més petit.
4 La meitat del dia.
5 Em _____ les dents.
6 Quant _____ tot plegat?

Verticals:
1 Via de comunicació o trànsit a la ciutat.
2 M'acomiado d'algú.
3 Primer àpat del dia.
4 Femení de morè.
5 Germà de la meva mare.
6 _____ reservar un bitllet d'avió.

08

de vacances
on holiday

In this unit you will learn
- how to ask for or book a room in a hotel
- how to identify different kinds of accommodation
- how to ask someone to do something
- how to hire a car

▶1 Voldria una habitació doble *I would like a double room*

Montse and Tim have gone on holiday and are looking for a room in a small hotel.

Tim	Bona tarda, teniu alguna habitació lliure?
Hostalera	Individual o doble?
Tim	Dues d'individuals.
Hostalera	Amb dutxa o bany complet?
Tim	Dutxa ja va bé.
Hostalera	Per a quantes nits?
Tim	Set, fins el divendres dia 24.
Hostalera	En tinc dues a la part de darrere; hi ha menys soroll i tenen vistes al mar.
Montserrat	Perfecte! L'esmorzar va inclòs en el preu?
Hostalera	No, va a part. Val 5€70.
Tim	Teniu pàrquing?
Hostalera	Sí, tenim un garatge privat. També es paga a part. Val 4€50 per dia. Si voleu, immediatament després de veure l'habitació us l'ensenyo. Podeu deixar l'equipatge aquí.

l'hostalera (f.)	*hotel owner*
la dutxa	*shower*
anar bé	*to be fine, all right*
la part	*side, part*
la vista al mar	*sea view*
inclòs/-osa	*included*
a part	*separately*
el garatge	*garage*
*immediatament	*immediately*
ensenyar	*to show*
*us l'ensenyo	*I'll show you (it)*: see Grammar Unit 9
deixar	*to leave*
l'equipatge (m.)	*lugagge*

▶2 Assegurança inclosa *Insurance included*

Next, Montse and Tim decide to hire a car.

Empleat	Bona tarda.
Montserrat	Bona tarda. Volem llogar un cotxe petit per a una setmana. Que en teniu cap?

Empleat	Sí, de la categoria A podeu escollir entre un Ford KA i un Peugeot 106. Tots dos van amb gasolina sense plom.
Montserrat	I quant val el lloguer?
Empleat	La tarifa per a set dies és de 221€ amb quilometratge il·limitat. L'assegurança està inclosa.
Montserrat	Preferim agafar el Ford.
Empleat	Entesos! Us fa res deixar-me el carnet de conduir i una targeta de crèdit? ... Aquí teniu les claus. A dins del cotxe hi ha un mapa de carreteres. No oblideu tornar-lo amb el dipòsit ple abans de les 12 del migdia de dijous.

llogar	*to rent, to hire*
tots dos	*both*
la gasolina sense plom	*unleaded petrol*
el lloguer	*rent(al), hire charge*
la tarifa	*tariff*
el quilometratge	*mileage*
il·limitat/-da	*unlimited*
entesos!	*OK, fine*
*us fa res …?	*do you mind …?*
el carnet de conduir	*driving licence*
la clau	*key*
no oblideu	*don't forget*
el dipòsit	*tank*
ple/-na	*full*
abans (de)	*before*

Exercise 1

Veritat o fals?

1 En Tim i la Montse volen quedar-se una setmana a l'hotel.
2 L'esmorzar val 4€50.
3 El Ford KA i el Peugeot 106 no tenen el mateix preu.
4 El mapa de carreteres és gratuït.

Exercise 2

Listen again to the dialogues and repeat them out loud, preferably with a partner.

Exercise 3

Focus on the words below, taken from Dialogue 2, and say whether the underlined letters sound like g in English *give* or s in English *measure*.

1 llo<u>g</u>ar   2 cate<u>g</u>oria   3 Peu<u>g</u>eot   4 <u>g</u>asolina   5 llo<u>g</u>uer
6 asse<u>g</u>urança   7 tar<u>g</u>eta   8 di<u>j</u>ous

Exercise 4

This dialogue in a car-hire agency has to be put in order for it to make sense.

1 M'és igual.
2 Per a quants dies?
3 Hi ha una oferta de cap de setmana a 123€.
4 Categoria B o C? Tots dos són grans.
5 Amb quilometratge il·limitat?
6 D'acord, ja em va bé.
7 Li fa res deixar-me el seu carnet de conduir?
8 Pel cap de setmana.
9 No, hi ha un límit de 250 quilòmetres.
10 Hola, vull llogar un cotxe gran.

Key words and phrases

Types of accommodation

el càmping	*camp site*
l'alberg de joventut (m.)	*youth hostel*
el refugi de muntanya	*mountain lodge*
l'agroturisme (m.)	*farmhouse accommodation*
la pensió	*guest house*
l'hostal (m.)	*budget hotel*
l'hotel (m.)	*hotel*
la fonda	*inn*

Asking for or booking a room in a hotel

Hi ha habitacions lliures?	*Are there any free rooms?*
Voldria reservar una habitació, sisplau.	*I'd like to book a room, please.*
Vull una habitació doble/individual.	*I want a double/single room.*
Amb llit doble/individual/dos llits.	*With a double/a single/two beds.*

Amb bany/dutxa/vistes al mar.	With a bath/shower/sea views.
Per a quantes nits?	For how long?
Per a tres nits/una setmana/ quinze dies.	For three nights/a week/a fortnight.
Pensió completa o mitja pensió?	Full board or half board?
El preu per habitació i nit és de 55€.	The (room's) price per night is 55€.
L'esmorzar i el pàrquing van a part.	Breakfast and parking are charged separately.

Items in your hotel

dins l'habitació	*inside the room*	**fora de l'habitació**	*outside the room*
el sabó	*soap*	el bar	*bar/cafeteria*
la tovallola	*towel*	l'ascensor (m.)	*lift*
la finestra	*window*	la recepció	*reception hall*
el llum	*light (lamp)*	l'aire condicionat (m.)	*air conditioning*
l'armari (m.)	*wardrobe*	la pista de tennis	*tennis court*
la tauleta	*bedside table*	la piscina	*swimming pool*
el mirall	*mirror*		

Hiring a car

Voldria llogar un cotxe.	I would like to rent a car.
De quina categoria, A, B o C?	Which category/price band, A, B or C?
Quant val el lloguer?	What is the hire charge?
Tenim una tarifa de cap de setmana/setmanal.	We have a weekend/weekly tariff.
quilometratge il·limitat	unlimited mileage (measured in kilometres)
assegurança inclosa	insurance included

Exercise 5

Complete the following with words from the box below (singular or plural, with or without article, as appropriate).

Entrem a l'habitació 28 i com que és de nit encenem _____1, però no funciona. A les fosques fem córrer les cortines i veiem que _____2 estan obertes. Jo les tanco. Decideixo trucar a _____3 però _____4 no funciona tampoc. Entro al bany i trobo a terra dues _____5 completament molles i a més, no hi ha _____6 per rentar-se les mans al lavabo. Finalment agafem _____7 i anem a parlar amb el director de l'hotel. Diu que hi ha un error i que la nostra _____8 és una altra. Ens dóna una altra _____9.

> sabó   clau   llum   habitació   tovallola   finestra
> recepció   ascensor   telèfon

▶ Exercise 6

You will hear four people (A to D) booking a room in a hotel. With all the information try to complete the grid below. Some details have already been written in for you.

	🛁 🚿	🌙	🛏	🍽
A	bany complet			
B				
C				esmorzar i sopar
D			dos llits	

Grammar

A *Li fa res ...?*

A very common way of making a polite request is with the expression **fer res** + infinitive, with the pronoun indicating the person addressed: thus **et fa res ...?** means something like *do you mind ...?* The Catalan infinitive expresses the action requested (*...ing*, in English) as in **Us fa res deixar-me ...** (*Do you mind letting me have ...*) in Dialogue 2. Note also how the (indirect object) pronoun functions here and in these other examples.

Et fa res obrir la finestra? (a tu)	No, ara l'obro.
Li fa res pagar ara mateix? (a vostè)	No, no em fa res.
Us fa res baixar del cotxe? (a vosaltres)	No, ara mateix baixem.

Els fa res parlar en anglès? (a vostès)   No, no ens fa res.

Note also **no oblideu** *don't forget to*, in Dialogue 2, as another way of making a request. For the singular **tu** this would be **no oblidis** and for **vostè(-s) no oblidi(-in)**. The Grammar Section D in Unit 15 extends this point.

B Adverbs ending in '-ly'

There is quite a close correspondence between the way in which English forms adverbs ending in *-ly* and the Catalan system which is to add **-ment** (such as **immediatament** in Dialogue 1) to the feminine form of the adjective. Other examples are **exacte > exacta > exactament** *exactly*; **ràpid > ràpida > ràpidament** *quickly*.

C Prepositions

In Unit 2 we saw how some prepositions (**a, de** and **per**) contract when they are placed before the articles **el** and **els**. Now we are going to study when we use these and other prepositions and how the translations may vary at times.

a

- with the meaning of *at* (time) **Arribo a les deu.** *I arrive at ten o'clock.*
- with the meaning of *to/towards* (direction) **Vaig a/cap a l'estació.** *I go to the station.*
- with the meaning of *at* (place, location) **Ara és a casa.** *S/he's at home now.*
- with the meaning of *in* (place, location) **Sóc a la piscina.** *I am in the swimming pool.*

  És a l'armari. *It is in the cupboard.*

en

with the meaning of *in/at* (place, location), replacing **a** in this function before the indefinite article (**un**, etc.) and the demonstrative adjectives, which begin with vowels. Compare:

- Les nenes són a l'escola.   *The girls are at school.*
- Les nenes són en una escola.   *The girls are in a school.*
- Les nenes són en aquesta escola. *The girls are at this school.*

de

• with the meaning of *of* (including possession)	el guanyador de la copa	*the winner of the cup*
	el pis de la Sara	*Sara's flat*
• with the meaning of *from* (origin)	Vinc de Reus.	*I come from Reus.*
• with the meaning of *in* (comparison)	la (noia) més llesta de la classe	*the cleverest girl in the class*
• with the meaning of *in* (time)	Són les deu del matí.	*It's ten in the morning.*

amb

• with the meaning of *with* (company)	Treballo amb la Sònia.	*I work with Sònia.*
• with the meaning of *in/by* (vehicle)	Hi vaig amb bicicleta.	*I go there by bike.*

entre

• with the meaning of *between* (place)	La casa és entre la farmàcia i l'estanc.	*The house is between the chemist's and the newsagent.*
• with the meaning of *among* (place)	Passeja entre els arbres.	*He walks among the trees.*

fins (a)

• with the meaning of *until*	Sóc a Madrid fins demà.	*I'm in Madrid until tomorrow.*
• with the meaning of *as far as*	T'acompanyo fins a la cantonada.	*I'll come with you as far as the (street) corner.*

Further treatment of prepositions, mainly the uses of **per/per a**, comes in Unit 9.

Note that the pronouns used after prepositions (strong pronouns) are the same as the subject pronouns, except in the first-person singular where **mi** is used, not **jo: Vols venir amb mi?; Puc anar-hi amb tu.**

▶ **Exercise 7**

Look at this text. Some of the prepositions shown in bold are wrongly used. You should be able to identify and correct them. Note that not all of them are wrong.

Arribo **en 1** Sóller **amb 2** el meu cotxe i entro **d' 3** un bar.
Demano un tallat i miro **a 4** fora mentre espero la Mercè. Diu
que torna de Palma **en 5** les sis. La música **del 6** bar m'agrada.
Hi ha gent: uns homes parlen **entre 7** ells **en 8** la barra. Dues
noies **amb 9** vint anys beuen cervesa. **En 10** dos quarts **de 11** set
arriba la Mercè. Ve **amb 12** un amic. Es diu Pau i és **a 13** Eivissa.
Esperem **entre 14** que tanquen el bar i després sortim.

Exercise 8

Look carefully at this advertisement and then answer the
questions in Catalan:

1 Quin tipus d'allotjament és aquest?
2 Tenen obert tot l'any?
3 Hi pots menjar?
4 Les habitacions, són totes iguals?
5 Quines possibilitats ofereix el lloc?

09

turn right

gira a la dreta

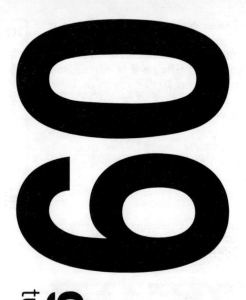

In this unit you will learn
- how to identify public places
- how to ask for and give directions
- how to give instructions and distances

▶ 1 Com s'hi va? *How do I get there?*

Tim and Montserrat are talking to an employee in a local tourist office (**oficina de turisme**).

Montserrat	Bona tarda. Acabem d'arribar al poble i volem saber què es pot visitar?
Empleat	Mireu, en aquest mapa està tot indicat. Podeu començar visitant la plaça de l'Ajuntament, que no és gaire lluny d'aquí. Després us recomano entrar al Museu Municipal i també visitar les esglésies de Sant Antoni i Sant Miquel. Un dels llocs més interessants és el pont romà, sense oblidar el castell. Ambdós són monuments històrics.
Tim	I la platja?
Empleat	Home, sens dubte la nostra badia és preciosa. A peu s'hi pot anar.
Tim	Com? Quin és el camí més ràpid?
Empleat	Agafeu aquest carrer fins al final de tot. Un cop al parc, gireu a la dreta, allà on hi ha una bústia, i continueu caminant tot dret. Just al costat de la comissaria de policia hi ha una indicació. No és gaire lluny, a uns deu minuts.
Montse	Moltes gràcies … Per cert, hi ha algun caixer automàtic a prop d'aquí? Necessito treure diners.
Empleat	Si, n'hi ha un al carrer de dalt, a davant de la biblioteca municipal.

*que	*which, that*
l'església (f.)	*church*
el pont	*bridge*
ambdós/-dues	*both*
la platja	*beach*
home!	*well!* (exclamation)
sens dubte	*definitely*
la badia	*bay*
preciós/-osa	*lovely, beautiful*
el final de tot	*the very top/end*
girar	*to turn*
la bústia	*mailbox*
continuar	*to continue, to keep (doing something)*
caminar	*to walk*
tot dret	*straight ahead*
la comissaria de policia	*police station*

la indicació	sign
el caixer automàtic	cash machine
treure (irregular)	to take out, to withdraw
dalt	above, (higher) up
la biblioteca	library

▶2 És a uns 300 metres *It's about 300 metres away*

Some hours later Tim and Montse are in their car.

Tim   Perdoni, per anar a Vilajoana?

Vianant Mmm ... És força complicat des d'aquí! A veure ... surt del poble per aquest carrer.

Tim   Aquest de la dreta?

Vianant Sí, el Carrer de l'Església. El del costat és direcció prohibida. Baixa el carrer fins al capdavall i a la rotonda gira a l'esquerra, en direcció a l'hospital. Al segon semàfor agafa el carrer de la dreta i a uns tres-cents metres entra a la carretera comarcal.

Tim   El semàfor és abans o després de l'hospital?

Vianant Després. L'hospital queda a mà esquerra del carrer. Un cop a la carretera està tot indicat.

Tim   És lluny el poble?

Vianant No, deu ser a uns catorze quilòmetres d'aquí.

Tim   Moltes gràcies.

Vianant A disposar, i bon viatge!

el/la vianant	pedestrian
a veure ...	let's see ...
la direcció prohibida	one way (traffic)
al capdavall (de)	to/at the (very) bottom (of)
la rotonda	roundabout
el semàfor	traffic lights
comarcal	local district
quedar	to be situated (here)
un cop	once
*deure (irregular)	to owe, must: see Grammar A
a disposar!	you are welcome!

Exercise 1

Go through Dialogues 1 and 2 and make sure you understand everything. Act them out with a partner, if possible.

Exercise 2

Match the signs with their meanings:

a Prohibit passar
b Prohibit estacionar
c Prohibit fumar
d Prohibit girar a l'esquerra
e Prohibit tirar fotos
f Prohibit banyar-se

Reading

Read the following instructions you find on a parking meter:

> Decideixi el temps d'estacionament que necessita.
> Seleccioni el temps prement el botó de dalt.
> Col·loqui la quantitat de diners exacta.
> Recordi que el parquímetre només accepta monedes de 2€, 1€, 0,50€, 0,20€ i 0,10€.
> Premi el botó de sota.
> Reculli el tiquet i col·loqui'l en un lloc visible dins el cotxe.

▶ **Exercise 3**

a Listen to a conversation about the parking-meter instructions above and say whether the following words below are stressed on the final syllable, on the next to last or two before the last.

1 estacionament 2 botó 3 col·loqui 4 quantitat
5 parquímetre 6 monedes 7 tiquet

b Listen again to Dialogue 1 paying careful attention to how the following groups of words run together.

acabem d'arribar al poble – què es pot visitar? – us recomano entrar – les esglésies de Sant Antoni i Sant Miquel – hi ha algun caixer automàtic?

Key words and phrases

Asking for and giving directions

Per anar a la platja, sisplau?	*The way to the beach, please?*
Com es va a l'Ajuntament?	*How do I get to the Town Hall?*
Sap com puc anar a l'hospital?	*Do you know the way to the hospital?*
Com s'hi va?	*How do I get there?*
És lluny/És a prop d'aquí?	*Is it far from/near here?*
És a uns deu quilòmetres.	*It is about ten kilometres away.*
És a deu minuts caminant.	*It is ten minutes' walk away.*
Deu ser a uns 300 metres.	*It is probably about 300 metres from here.*

Useful verbs

agafar	*to take*
pujar (per)	*to go up, come up*
baixar (per)	*to go down*
continuar (per)	*to keep…/to continue*
seguir (per)	*to continue/to go on…/to follow*
girar/tombar	*to turn*
travessar	*to cross*

Useful adverbs (direction)

amunt/avall   *up(wards)/down(wards)*
tot dret   *straight ahead/on*
endavant/endarrere   *ahead/back(wards)*

Useful adverbs (situation)

a baix/a dalt   *down/up, below/above*
al capdamunt/al capdavall   *at the (very) top/bottom (of)*
  (de)
(a) sobre/(a) sota   *above/below*
(a) dins/(a)fora   *inside, in/outside, out*

Exercise 4

Look at the shapes below. Then, complete the sentences using (without repetition) one of the adverbs seen in this unit and in Units 2 and 3, such as **a la dreta, (a) sota, davant, lluny**, etc.

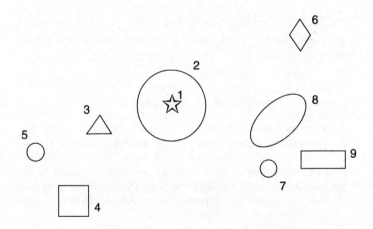

Example: El número 3 és a **entre** el 5 i el 2.

1 El número 7 és a _____ del 9 i aquest és _____ del 6.
2 Els números 5 i 4 són _____ del 8.
3 El 6, 7, 8 i 9 són a _____ del 2, 3, 4 i 5.
4 L'1 és a _____ del 2 i el 8 és _____ del 7.
5 El 6 és _____ de tot.

Grammar

A Expressions of probability

The most frequent way of expressing supposition or probability in Catalan involves the irregular verb **deure** introducing an infinitive, as in **deu ser a uns vuit quilòmetres,** heard in Dialogue 2.

La Maria *deu viure* a prop de casa perquè la veig cada dia.
Maria must live near my home because I see her every day.

Els seus amics *deuen anar* molt sovint a la platja perquè sempre que hi vaig ells hi són.
Their friends must go to the beach very often because every time I go (there) they are there too.

B Imperative

1 To give direct commands, instructions, etc. we use the command or imperative form of verbs. For **tu** and **vosaltres** we have the following scheme (where some parts coincide with the present tense):

1st conj.	*2nd conj.*	*3rd conj.*	
parla	pren	dorm	llegeix
parleu	preneu	dormiu	llegiu

Then see how the **vostè** form is used in the more formal/official instructions for the parking meter on p. 107 (i.e. **decideixi, seleccioni ...**). Look at the examples from the dialogues: **agafeu aquest carrer ...** from Dialogue 1, and **baixa el carrer ...** from Dialogue 2. In the first one the speaker is talking to Tim and Montserrat (**vosaltres**) and in the second one just to the driver, Tim (**tu**).

2 Any pronoun accompanying an imperative verb has to be placed after it. Remember the form of direct-object pronouns after the verb that we have seen in Unit 4. A full review is provided in the **Reference tables**.

Agafeu **aquest carrer** (*Take this street*) > Agafeu-lo.
Baixa **el carrer** (*Go down the street*) > Baixa'l.
Fica **el peu** a l'aigua (*Put your foot in the water*) > Fica'l a l'aigua.
Recorda **aquesta adreça** (*Remember this address*) > Recorda-la.

You have now seen that pronouns are attached after the verb (by an apostrophe or a hyphen) in the following three cases:

a with an infinitive: Et fa res dir-me …? *Do you mind telling me …?*

b with a gerund: Estic maquillant-me. *I am putting on make-up.*
(*also* m'estic maquillant)

c with a direct command, as in the examples above.

C Relative pronoun *que*

The unstressed relative pronoun **que** is invariable and can refer to persons, things or concepts. It can stand as subject or as direct object. Look at some examples from this unit:

La plaça de l'Ajuntament, que no és lluny … *The town-hall square, which is not far …*

El temps d'estacionament que necessita … *The parking time you need …*

Note that Catalan, unlike English, never omits the relative pronoun in a relative clause. For example:

la noia que estimo *the girl I love*

(The same is also true for **que** as conjunction *that*: **Diu que vindrà** *S/he says (that) s/he will come.*)

Exercise 5

Make a single sentence from each of the following pairs, using the relative pronoun **que**:

Example: La casa és petita. La casa és a la vora del riu.
La casa que és a la vora del riu és petita.

1 La finestra està tancada. La finestra és a la dreta.
2 El cotxe té set anys. El cotxe és de la família d'aquí davant.
3 El museu és molt interessant. Volem visitar el museu.
4 El noi treballa a l'estació. El noi viu al pis de dalt.
5 El tren porta retard. El tren surt a dos quarts de sis.

ℹ️ Montserrat

The name of one of our characters, abbreviated to Montse, comes from an important Benedictine monastery in the hills close to Barcelona. Montserrat, which dates back to the Middle Ages, has had a significant role in the religious life and in the community history of Catalonia from the earliest times until the present. The monastery and its associated buildings occupy a commanding site high up among the jagged pinnacles of the Montserrat massif. It is still a special place of worship and pilgrimage, centred on the figure of the Black Virgin (**La Moreneta**), the Mother of God of Montserrat, while being also nowadays a big attraction for secular tourism from far and near.

Grammar

D *Per/per a*

Both prepositions **per** and **per a** can translate *for*, but they must not be confused. The difference between the two can best be appreciated by seeing **per a** as a distinct preposition with its own range of meaning. Basically **per a** indicates a destination or an object:

No hi ha prou fruita per a tots.   *There isn't enough fruit for everybody.*

La casa és massa gran per a nosaltres.   *The house is too big for us.*

A difference between **per** and **per a** is distinguishable

a in expressions of time:

Per a is used only for specific arrangements or fixed appointments in the future.

Ho podem deixar per a dijous.   *We can postpone that for/until Thursday.*

Per indicates for how long something is intended or the time during which something happens.

Hi anem per Pasqua.   *We are going there for Easter.*

L'he llogat per un any.   *I have rented it for a year.*

b introducing an infinitive:

Per translates *(in order) to* before an infinitive:

Ho fem per entretenir-nos. *We are doing it to amuse ourselves.*

Vull anar-hi per visitar el castell. *I want to go there in order to visit the castle.*

Certain verbs and expressions do admit **per a** to introduce an infinitive. You will most probably observe instances of this, but remember that in practice **per** + infinitive will always sound authentic.

E Pronoun combinations

We have already met some instances of two pronouns combined (**n'hi**, Unit 3; **us l'ensenyo**, Unit 8). The heading for Dialogue 1 in this unit **Com s'hi va?** is another case: here you see impersonal **es** (Unit 7) going together with **hi** (Unit 5), expressing destination/location. Here are some other examples:

No s'hi pot entrar. *You can't go in there.*

En aquest restaurant la gent menja molt bé (*In this restaurant people eat very well*), where **en aquest restaurant** could be represented as **hi** and **la gent** as **es > s'**, giving (**Aquí**) **s'hi menja molt bé,** equivalent to *The food is good here.*

This important area of grammar is returned to in Unit 13 and Unit 14.

▶ Exercise 6

Look carefully at the map. In the recording you will hear four people explaining the way to get to each of the museums. For each statement (1 to 4), identify the correct museum and give its name. Your starting point is the railway station.

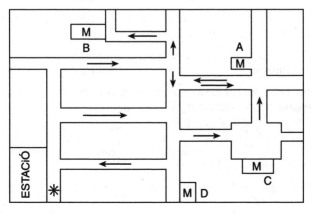

Reading

Read the following recipe (**recepta de cuina**) and observe the use of the imperative. (Remember that you can always use the vocabulary list at the back of the book to check any unfamiliar words.)

COCA DE TARONJA

Per fer una coca de taronja seguiu aquestes instruccions:

- Unteu un recipient amb mantega i farina.
- Barregeu els ous amb el sucre en un bol fins a obtenir una massa espessa.
- Afegiu el suc de taronja, la farina amb el llevat, una mica de sal i la llet.
- Treballeu la massa i poseu la mescla dins el recipient.
- Col·loqueu el recipient dins el forn i espereu vint-i-cinc minuts.

Mentre es cou la coca:
- Poseu a coure durant tres o quatre minuts el suc de les taronges, el sucre i la pell de la taronja.
- Retireu el líquid del foc.
- Afegiu el licor.

Un cop la coca és cuita:
- Tireu el suc pel damunt de la coca.
- Poseu la coca a gratinar al forn durant uns minuts.

Exercise 7

Tell a friend about the recipe above, filling in the gaps with words from the text, changing the forms of verbs as well as using pronouns:

En primer lloc agafa un recipient i unta _____ **1** amb mantega i farina. Per fer la massa, _____ **2** els ous amb el sucre en un bol i afegeix _____ **3** el suc de taronja, la farina, el llevat, la sal i la llet. _____ **4** la mescla i posa _____ **5** dins el recipient. _____ **6** el recipient dins el forn i _____ **7** vint-i-cinc minuts. Mentre es cou la coca _____ **8** a coure durant tres o quatre minuts el suc de les taronges, el sucre i la pell de la taronja. Un cop acabat, _____ **9** el líquid del foc i _____ **10** -hi el licor. Per acabar _____ **11** el suc sobre la coca i posa _____ **12** a gratinar durant uns minuts.

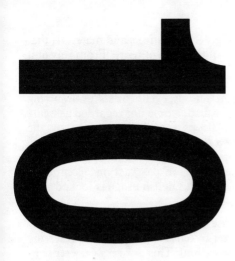

10

vaig néixer a Eivissa

I was born in Ibiza

In this unit you will learn
- how to talk about key events in your past
- how to say how long ago something happened
- how to talk about someone's job/profession
- how to greet someone on a special occasion

Before you start

So far you have been working with situations and materials that involve almost exclusive use of the present tense. From this unit onwards you will be meeting the other main parts of the tense system in Catalan, beginning here with the (past) preterite. This is the tense used to talk about actions, events or states occurring in a time which is past and finished, a time not regarded as being connected to the present. The past time represented by the preterite tense is thus *a period that does not include 'today'*. You will be reminded of this important distinction in Unit 12, when you are introduced to the tense for past actions completed 'today' and when the contrast with English usage is looked at in detail.

The form of the preterite tense you are studying here is properly called the 'periphrastic preterite tense' ('periphrastic' referring merely to a 'roundabout' formation). This is a very easy tense to construct and use since it involves dealing with only a very limited set of variables – the parts of a single auxiliary verb – as follows:

(jo)	vaig	+ *infinitive*
(tu)	vas (*sometimes* vares)	+ *infinitive*
(ell/ella/vostè)	va	+ *infinitive*
(nosaltres)	vam (*sometimes* vàrem)	+ *infinitive*
(vosaltres)	vau (*sometimes* vàreu)	+ *infinitive*
(ells/elles/vostès)	van (*sometimes* varen)	+ *infinitive*

Once you have learned these easily recognizable forms, and once you are familiar with the basic principles explained above, the past preterite tense of any verb (provided that the infinitive is known, of course) can be expressed with ease.

Va tancar la porta.	*S/he closed the door.*
Vaig arribar ahir.	*I arrived yesterday.*
Vam portar males notícies.	*We brought bad news.*

By the end of this unit (taking on board the supplementary information given in Grammar A), you will have a good command of this tense.

▶ 1 Vaig estudiar a la universitat
I studied at university

Tim is talking for the first time with Lluïsa, an old friend of Montserrat.

Lluïsa	Escolta Tim, parles molt bé el català, no?
Tim	És que vaig néixer a Barcelona, la meva mare és catalana. Vaig viure a Catalunya fins als sis anys. Després, els meus pares van decidir tornar a Anglaterra i allà vaig continuar parlant català. Recordo que durant la meva infància vam voltar molt, d'un poble a un altre. Fa cinc anys em vaig independitzar, quan vaig entrar a la universitat, i vaig anar a viure a Bristol.
Lluïsa	Què vas estudiar?
Tim	Vaig fer tres anys de Turisme i quan vaig acabar la carrera vaig estar dos anys treballant de guia turístic a Oxford.
Lluïsa	Deus parlar moltes llengües, oi?
Tim	A part del català i l'anglès parlo francès i també portuguès, però com que no el practico ... I tu Lluïsa, d'on ets?
Lluïsa	Sóc d'Eivissa, vaig néixer a Sant Antoni, però de petita els meus pares van canviar de feina i vam venir tots a viure a Palma.
Tim	Vas estudiar a la universitat?
Lluïsa	Sí, vaig estudiar a la facultat de medicina. Però jo de llengües només en parlo dues: el mallorquí i el castellà.
Tim	A què et dediques?
Lluïsa	Sóc metgessa. Des de fa un any treballo a l'hospital públic, però també vaig treballar un temps en una consulta privada. Com l'Antoni. Per cert, vas anar ahir a la seva festa d'aniversari?
Tim	Sí, ens hi vam divertir molt ... vam ballar i beure tota la nit.
Lluïsa	Jo no vaig poder venir perquè vaig tornar ahir mateix de Madrid. I tu, quan fas els anys?
Tim	Els vaig celebrar una setmana abans de venir cap aquí, el divuit d'agost ...
Lluïsa	Doncs jo els faig demà, trenta-dos!
Tim	Felicitats!

*... no?	isn't that so?
néixer (irregular)	to be born
*durant	during, for
la infància	childhood
voltar	to go (travel) around
*fa ...	... ago
independitzar-se	to become self-sufficient
la carrera	university studies
el/la guia	guide
*... oi?	isn't that so?
a part	except for, apart from

com que	*as*
de petit/-a	*when I was (a) young (boy/girl)*
canviar	*to change*
la facultat	*faculty*
*de ...	*see Grammar C*
*dedicar-se	*to be occupied/employed (as)*
la metgessa	*(female) doctor*
des de	*since*
la consulta	*surgery*
la festa d'aniversari	*birthday party*
ballar	*to dance*
ahir mateix	*(just) yesterday*
fer anys	*to have one's birthday*
felicitats!	*congratulations!, happy birthday! (here)*

Exercise 1

Veritat o fals?

1 En Tim parla molt bé el català perquè viu a Barcelona des de fa molt de temps.
2 El francès és la llengua que en Tim menys practica.
3 La Lluïsa no té experiència professional.
4 En Tim es va divertir molt a la festa d'ahir.

Exercise 2

Familiarize yourself with the dialogue and then, if you can, act it out with a partner.

Exercise 3

Listen again to the dialogue, focusing on the words listed below, and say whether the **r** sounds with a single or a double trill or whether it is silent.

1 pa<u>r</u>les 2 néixe<u>r</u> 3 Anglate<u>rr</u>a 4 <u>r</u>eco<u>r</u>do 5 volta<u>r</u> 6 alt<u>r</u>e
7 viu<u>r</u>e 8 mallo<u>r</u>quí

ℹ Mallorquí

Lluïsa, in the Dialogue, says she speaks **mallorquí** rather than **català**. You will find some people using the name of Catalan dialects to refer to the language itself, especially in the case of **valencià**. Some complex 'political' issues are involved here, concerning the position of the Catalan-speaking areas within other established states (in this case Spain). In objective terms there is no question that Catalan is a coherent single language with its own particular system of dialects.

ℹ️ Greetings for special events

Most Catalan-speakers celebrate both their birthday and their 'Saint's day' (that is the **festa** *feast-day* of the saint after whom they are called). For both occasions the usual greeting offered is **Per molts anys!** (literally *For many years!*) corresponding to *Many happy returns!*. You can also use, as in the dialogue, **felicitats!**. Specific events like Christmas have other expressions: **Bon Nadal!** or **Bones festes!** *Merry Christmas* and **Feliç any nou!** *Happy New Year!*.

Key words and phrases

Asking and talking about things in the past

On vas estudiar?	*Where did you study?*
Vaig estudiar a València.	*I studied in Valencia.*
Quan vas començar?	*When did you start?*
Vaig començar el 1998.	*I started in 1998.*
Quan vas anar a València?	*When did you go to Valencia?*
Hi vaig anar fa tres setmanes.	*I went there three weeks ago.*

Asking and talking about your job/work

A què et dediques?	*What is your occupation?*
De què fas?	*What do you work as?*
Estudies o treballes?	*Are you a student or do you have a job?*
Treballo de secretari en un despatx.	*I work as a secretary in an office.*
Sóc paleta.	*I am a bricklayer.*
Faig de cambrer.	*I have a job/I work as a waiter.*
Estudio a la Facultat de Lletres.	*I am studying in the Arts Faculty.*
Em dedico a la venda de material esportiu.	*My job is selling sporting goods.*
En Xavier és lampista però fa de camioner.	*Xavier is a plumber but he works as a lorry driver.*

Greetings for a special occasion

Avui és el teu aniversari?	*Today is your birthday?*
Per molts anys!	*Happy birthday!*

Felicitats!	*Happy birthday!/*
	Congratulations!
Enhorabona!	*Congratulations!*

Temporal adverbs/structures with the past tense

ahir	*yesterday*
abans-d'ahir	*the day before yesterday*
fa ... dies/mesos/anys	*... days/months/years ago*
fa molt de temps	*a long time ago*
la setmana passada	*last week*
el mes/l'any passat	*last month/year*
el 1998	*in 1998*

How long something has been going on for

| Des de fa un mes treballo en un banc. | *I have been working in a bank for one month.* |
| Fa cinc mesos que sortim junts. | *We have been going out with each other for five months.* |

For this last point see Grammar B.

Grammar

A The preterite tense

1 You must be careful to distinguish between the auxiliary for the preterite (**vaig, vas,** etc.) and those parts of **anar** *to go* (Unit 5) which coincide with it. Also watch out for possible confusion between the periphrastic preterite and the construction **anar a** + infinitive, meaning *to go (to/and)*. There is, of course, a vast difference between **Vaig trobar un amic** *I met a friend* and **Vaig a trobar un amic** *I am going to meet a friend*.

2 Position of pronouns
   With the preterite tense, object pronouns (including reflexive) can either be placed before the auxiliary **vaig, vas,** etc. or attached after the infinitive, with no change of meaning. Remember that, after the infinitive, pronouns are linked to it either with an apostrophe or a hyphen (see Unit 9, Grammar B).

Es van casar el 1990 *or*	*They got married in 1990.*
Van casar-se el 1990.	
El formatge? **El vaig posar**	*The cheese? I put it in the*
or **Vaig posar-lo** ahir a	*fridge yesterday.*
la nevera.	
Els papers? **Els van perdre**	*The papers? They lost them*
or **Van perdre'ls** fa	*many years ago.*
molts anys.	

3 The form of the simple preterite
As well as the periphrastic preterite, Catalan has a single-word version of this tense. Except in Valencia and to a lesser extent in the Balearics you will not encounter this simple (or synthetic) preterite in the spoken language, where the periphrastic form prevails. However, since it does appear frequently in written texts (where it may alternate freely with the **vaig, vas** form), you can study here the conjugation pattern for regular verbs:

	portar	**perdre**	**dormir**
(jo)	port-í	perd-í	dorm-í
(tu)	port-ares	perd-eres	dorm-ires
(ell/ella/vostè)	port-à	perd-é	dorm-í
(nosaltres)	port-àrem	perd-érem	dorm-írem
(vosaltres)	port-àreu	perd-éreu	dorm-íreu
(ells/elles/vostès)	port-aren	perd-eren	dorm-iren

The Reading exercise for this unit contains a few examples.

B Temporal expressions

Remember that **fa** corresponds to *ago* for actions situated in the remote past, as heard in **fa cinc anys em vaig independitzar.**

Va venir a veure'm fa	*He came to see me only a*
només un mes.	*month ago.*
Es van divorciar ara fa tres	*They got divorced three years*
anys.	*ago.*

You should not confuse this with other temporal expressions involving **fa,** for actions begun in the past and continuing into the present. Here, English emphasizes the 'pastness' of the action's beginning, whereas Catalan uses the present tense, focusing on the action's continuation until 'now'.

Fa dues hores que t'espero. = T'espero des de fa dues hores.
I have been waiting for you for two hours.

Exercise 4

And now, for reinforcement, write a brief account of your own life, using the constructions illustrated in the sections above and in the dialogue.

Grammar

C The pronoun *en* and 'partitive' *de* in conjunction

In the dialogue we heard **Però jo *de llengües* només *en* parlo dues.** In constructions like this the pronoun **en** refers back to **llengües** which appears just before it in the same sentence. The consistent pattern is for a noun represented by **en** + verb to be preceded by **de**. This is not affected by the order of the sentence, but any natural pause will be indicated by a comma:

En vaig veure moltes, de persones = De persones en vaig veure moltes.	*I saw a lot of people.*
En té quatre, de gossos i de gosses.	*He has four, dogs and bitches.*

Similarly, when a noun is already represented by **en**, any adjectives referring to that noun will be preceded by **de**.

Si voleu peres **en** tenim **de** verdes i **de** madures.	*If you want pears we've got green ones and ripe ones.*

Exercise 5

For each of the following questions mark just one appropriate answer.

1 Quants convidats vénen a sopar?
 a En vénen cinc, de convidats.
 b De convidats vénen cinc persones.
 c Vénen cinc de convidats.

2 Quin tipus de vi voleu?
 a En volem negre.
 b Volem vi de negre.
 c En volem de negre.

3 Saps anglès?
 a D'anglès, no sé gens
 b No en sé gens, d'anglès.
 c No en sé, anglès.

4 Només compra productes locals?
 a No, també en compra estrangers.
 b No, també compra estrangers.
 c No, també en compra d'estrangers.

5 Vas trobar alguna parada de bus?
 a No, no en vaig trobar cap parada.
 b No, no en vaig trobar cap, de parada.
 c No, de parada no vaig trobar cap.

Grammar

D Tag questions (*oi?*, *no?*)

At several points you have heard what are called 'tag questions', used to reinforce direct yes/no questions. In Catalan just two words, **oi?** and **no?** (plus, colloquially, **eh?**) cover the whole set of tag questions in English.

En Pere fuma, no?	*Pere smokes, doesn't he?*
Véns amb tren, oi?	*You come by train, don't you?*

Notice, though, that **no?** cannot follow a negative question, just **oi?**

No és pas tan dolent, oi?   *It's not so bad, is it?*

▶ Exercise 6

Listen to the recording. You will hear some people talking about their lives. As you listen, fill in the blanks below with what you hear (2–3 words).

Marta: Jo vaig néixer a Perpinyà però només a_____ del meu naixement el meu pare b_____ un accident i c_____ tots a viure a Barcelona. d_____ a casa de la meva àvia i la meva mare e_____ a treballar en una pastisseria. No f_____ mai anar a l'escola, així que amb setze anys g_____ els llibres i vaig crear la meva pròpia pastisseria. h_____ que la tinc i cada dia tinc més clients.

Miquel: Jo a_____ a estudiar enginyeria a França. És clar que b_____ vaig estudiar molt de francès. Allà c_____ molts estudiants estrangers. L'any després de la graduació d_____ una feina a París i allà m'hi e_____ un pis. f_____ tres mesos estic casat amb la Marie.

Pilar: Jo **a**_____ vaig decidir que volia ser pilot d'avió. **b**_____ un dia que el meu pare **c**_____ a l'aeroport. Durant uns mesos **d**_____ l'aeroport cada diumenge fins que un dia la meva tia **e**_____ a visitar-la a Suïssa. **f**_____ un avió i em va fer tanta por que mai més **g**_____ parlar d'avions ni d'aeroports. Ara treballo de periodista.

Reading

Study this article taken from a Catalan newspaper. Remember that you can check any unfamiliar vocabulary in the vocabulary list at the back of the book.

Roben a la Biblioteca Amat

Una part important i valuosa del fons de llibres de la Biblioteca Salvador Amat de Girona va desaparèixer ahir a la nit arran d'un robatori. Els fets van tenir lloc al voltant de les 11 de la nit quan uns desconeguts entraren a la biblioteca saltant-se les mesures de seguretat. El robatori no va durar més de quinze minuts, just el temps que tardà la policia a arribar al lloc dels fets. De les obres desaparegudes destaquen llibres dels segles XVIII i XIX, així com una peça de gran valor, *El somni dels estels*, de 1687. Sembla ser que els lladres van poder desconnectar l'alarma i entrar directament a la sala d'obres especials. Quan la policia va arribar a la part de darrere de la biblioteca va poder veure desaparèixer els lladres. De moment no se sap on són. Just després del robatori el director de la biblioteca mostrà la seva sorpresa i ràbia davant d'aquest incident.

Exercise 7
Mark all verbs which are in the preterite tense.

Exercise 8
Answer the following questions in Catalan, making as much use of the language of the text as you can.

1 When did the robbery occur?
2 How long did the police take to arrive?
3 What kind of objects were missing from the library?
4 Which way did the thieves go out of the library?
5 What was the reaction of the library director?

11

quin vestit més bonic!

what a nice dress!

In this unit you will learn
- how to talk about clothes in a shop and try them on
- how to talk about sizes and colours
- how to describe a person's physical appearance

▶1 Com em queda? *How does it suit me?*

Montse has decided to go shopping.

Dependenta	Et puc ajudar?
Montserrat	Sí, estic buscant un vestit.
Dependenta	Alguna cosa elegant?
Montserrat	Sí, un vestit elegant i llarg.
Dependenta	De quin color?
Montserrat	Blanc o d'algun color clar.
Dependenta	Aquesta temporada es porten molt els colors pastel: rosa, blau, groc ... Totes les noies duen els mateixos colors ... Mira't aquests.
Montserrat	Que bonic, aquest groc! Me'l puc emprovar?
Dependenta	Els emprovadors són al costat del taulell.
Montserrat	Com em queda?
Dependenta	Et queda preciós, però vols emprovar-te una talla menys?
Montserrat	Sí, em sembla que no em va pas a la mida, em va massa ample de la cintura.
Dependenta	Si necessites una jaqueta a joc amb el vestit, també en tenim. Aquesta hi va de conjunt. Posa-te-la i mira com et va.
Montserrat	Gràcies. Ara que sóc aquí faig un cop d'ull als jerseis també.

ARTICLE	TALLA
BRUSA SENYORA	**42**

MODEL **XZ78**

PVP **53€**

TEXTILS FUSTER
Avda. dels eibarresos n° 17–19
08450 Mont Palau

ajudar	*to help*
llarg/-a	*long*
clar/-a	*light (coloured)*
la temporada	*season*
portar	*to wear (here)*
***dur** (irregular)	*to wear (here)*
mateix/-a	*same*

*que + adj.	how ...!
emprovar-se	to try on
l'emprovador (m.)	fitting room
el taulell	counter
quedar	(here) to suit
preciós/-a	beautiful, lovely
la talla	size
anar a la mida	to fit
ample/-a	full (here), wide
la cintura	waist
a joc = de conjunt	together, matching
posar-se	to put on (clothes)
fer un cop d'ull	to have a look

*Els colors	The colours
verd/-a	green
blanc/-a	white
gris/-a	grey
vermell/-a	red
roig/-ja	red
blau/-va	blue
groc/-ga	yellow
negre/-a	black
rosa	pink
taronja	orange
marró	brown

Exercise 1

Read the dialogue again making sure you understand it all. Then, if you can, act it out with a partner, trying to imitate the speakers as much as you can.

▶ Exercise 2

You are going to hear a list of words (written below). Put them in the correct column depending on the pronunciation of the **x**.

1 as in ta**xi** 2 as in **x**avi 3 as in e**x**amen 4 as in co**tx**e

mateix, excursió, baixar, dutxa, xai, exercici, peix, màxim,
exacte, marxar, exemple

Exercise 3

Look at these pictures and match them with the correct word. Look up those you don't know.

1 la brusa	5 la camisa	9 la faldilla
2 les sabates	6 els pantalons	10 la samarreta
3 els texans	7 la jaqueta	11 les sandàlies
4 els guants	8 la corbata	12 el vestit

Grammar

A The verbs *dur* and *portar*

Dur is an irregular verb, whose conjugated forms can be checked in the **Reference tables**, that we use as a synonym of **portar**. In fact both **dur** and **portar** have a lot of different meanings such as *to take, to bring, to carry, to drive, to transport,* as well as *to wear*, which is what we mainly practise in this unit.

B *Que ...! quin ...!* in exclamations

In the dialogue and in the unit title we have seen the use of **que ...!** and **quin ...!** as a structure to express opinion or just exclamation. But, look again at these sentences: **quin vestit més bonic** and **que bonic, aquest groc!** (referring to a yellow dress) and you realize that we use **que** before an adjective (or an adverb, too) and **quin/-a/-s/-es** before a noun. Here are a few more examples with the corresponding translations:

que gran!	*how big!*
quines cases més grans!	*what big houses!*
quina sort!	*what (good) luck!*
que ràpid!	*how quick!*

Més (or **tan**) always precedes the adjective in the construction **quin** + noun + **més/tan** + adjective.

C Uses and forms of colours

The main Catalan words for 'simple' colours are straight-forward adjectives that agree in number and gender with the noun they qualify (**uns pantalons blaus/unes camises blaves**). Exceptions are colours like **rosa** *pink*, **taronja** *orange*, **marró** *(chestnut) brown* which have only the one form. This is because these words are originally nouns that have taken on an adjectival function, so that **rosa**, for example, signifies (**de color**) **rosa: les sabates rosa**. Note also that when **clar** *light* or **fosc** *dark* qualify a colour these words too are invariable: **uns pantalons blau clar** *light blue trousers*.

Exercise 4

Here is a list of nouns with some adjectives (in the masculine singular form) in brackets. As in the example, you have to make a correct expression with all of them. You will be practising agreement of adjectives and two other features: the use of **i** to complete sequences of adjectives and use of the intensifier **ben** (see Grammar F).

Example: Uns arbres (alt, vell, ben verd). Uns arbres alts, vells i ben verds.

1 Unes jaquetes (car, curt, blanc).
2 Una beguda (fresc, vermell, ben bo).
3 Uns cafès (descafeïnat, negre, congelat).
4 Uns dies (gris, llarg, ben avorrit).
5 Unes galetes (marró, salat, barat).

6 Una bicicleta (nou, groc, modern).
7 Uns animals (salvatge, gros, lliure).
8 Unes camises (blau fosc, econòmic, ben elegant).

Exercise 5
Look carefully at this advertisement. Note that **calçat** means *footwear* while **espardenyes** are *trainers*. Then answer the questions below.

1 Aquesta empresa ven només calçat?
2 A quin moment de l'any es publica aquest anunci?
3 Quantes botigues tenen?
4 Com es diu en català *a leather belt*?

▶ 2 És alta, morena i té els ulls blaus
She is tall, dark-haired and has blue eyes

Some friends of Montse are in a cybercafé (**cibercafè**), looking at an Internet page and talking about other people's looks.

Joan	Mireu qui surt al web d'aquesta agència de viatges!
Antoni	A veure! Ostres, però si és la Mercè!
Mònica	Que no! No ho és pas!
Joan	Sí que ho és. Porta un pentinat diferent i està més prima.
Mònica	Com s'ho fa la gent per aprimar-se? Jo estic tan grassa …
Antoni	Fer règim, és clar!
Joan	Coneixeu el seu xicot? És un noi ros, d'ulls verds i fa un metre noranta.

Mònica	Nòrdic, no? A mi m'agraden més els nois morens, arrissats i de pell fosca. I el teu amic anglès, Montse, com és?
Montse	No el coneixes? És força alt, porta el cabell curt i és pèl-roig. Té la pell ben clara i els ulls clars també. Duu ulleres. És molt simpàtic ...
Joan	Bé, prou xerrar ... Deixeu-me entrar al meu portal de correu electrònic, que vull enviar un missatge a un amic.

sortir	*(here) appear*
que no	*no (emphatic)*
***ho**	*see Grammar D*
el pentinat	*hairstyle*
prim/-a	*slim, thin*
fer-s'ho	*(here) to manage*
aprimar-se	*to get thin, to lose weight*
gras/-sa	*fat*
el règim	*diet*
el/la xicot/-a	*boyfriend/girlfriend*
ros/-sa	*fair-haired/skinned*
arrissat/-da	*curly-haired*
la pell	*skin, leather*
fosc/-a	*dark*
el cabell	*hair*
curt/-a	*short*
pèl-roig/roja	*red-haired*
***ben**	*very*
les ulleres	*glasses*
xerrar	*to chat*
el portal	*access, doorway*

Exercise 6

Veritat o fals?

1 La Mònica no reconeix la Mercè perquè sembla una altra.
2 El xicot de la Mercè és estranger.
3 La Mònica encara no coneix en Tim.
4 En Joan vol obrir el seu correu electrònic per saber si hi té cap missatge.

❶ Height and weight

Like other languages Catalan uses metres and centimetres to talk about physical dimensions such as *height* (**alçada**), *width* (**amplada**), *length* (**llargada**), etc. Note the use of **fer** in such expressions:

> Aquest edifici fa cent metres d'alçada.
> La meva germana fa un metre i setanta-dos centímetres.

For *weight* (**el pes**) (verb **pesar**), whether talking about things or people, we use **quilo** *kilo*, **gram** *gram* and even **tona** *tonne*. Some examples:

> Quant pesa en Miquel?
> Ara pesa setanta-tres quilos. Quan va néixer va pesar tres quilos i set-cents grams.

❶ Internet

It is an obvious fact that the language of the Internet world is English. For this reason English words occur frequently even when a standard Catalan equivalent is available. So, **e-mail** is heard probably as often as **correu electrònic**. Words like **el web** have been added directly to the Catalan vocabulary; others have been adapted, like **cercador** *search engine*. To give your e-mail address you will have to say **arroba** for @ and **punt** for *dot*.

Key words and phrases

Talking about clothes and trying them on

Em puc emprovar aquests texans?	*Can I try these jeans on?*
Com em queda aquesta faldilla?	*Does this skirt suit me?*
Et queda bé.	*It suits you well.*
Et va curta/llarga/ ampla/ estreta.	*It's short/long/full/tight on you.*
Et va a la mida.	*It fits you.*
Treu-te els texans i posa't aquests altres.	*Take your jeans off and put these others on.*

Describing a person's appearance

Com és ella?	*What does she look like?*

És jove? No, no ho és./Sí que ho és.	*Is s/he young? No, s/he isn't./ Yes, s/he is.*
Fa un metre setanta-dos.	*S/he is 1.72 metres tall.*
Peso cinquanta-vuit quilos.	*I weigh 58 kilos.*
Duu/porta ulleres.	*S/he wears glasses.*
Porta els cabells estirats.	*S/he has straight hair.*
Té els cabells arrissats.	*S/he has curly hair.*

Adjectives to describe someone

alt/-a	*tall*	pell clara/fosca	*light/dark skin*
baix/-a	*small*	morè/-ena	*dark-haired*
maco/-a	*attractive, nice*	ros/-sa	*blonde, fair-*
prim/-a	*thin*		*skinned*
gras/-sa	*fat*	pèl-roig/roja	*red-haired*

Grammar

D The object pronoun *ho*

Ho is a weak object pronoun, invariable like **hi**. It means *it*, when standing for a neuter demonstrative (**això**, **allò**) or for a whole sentence: **Em preguntes si sé** *quant val el quadre* **i jo et dic que no** *ho* **sé** *You're asking me if I know how much the picture is worth, and I'm telling you that I don't know*. Note, though, that *it* does not always appear in English equivalents: **no ho sé** *I don't know*; **ho sento** *I'm sorry*. Remember **ho pots lletrejar** or **ho pots repetir** from Unit 1.

Dialogue 2 in this unit illustrates another function of **ho**: **Aquesta noia ... és la Mercè. –No, no ho és pas. –Sí que ho és.** Then look at: **No és boig però ho sembla** *He's not mad but he looks it*. Here **ho** represents an adjective or noun complement of **ser**, **estar** and **semblar**.

Note too that *so* is sometimes the translation of **ho**: **Això és veritat: ho diu el capità** *This is true: the captain says so*; **No ho crec** *I don't think so*. When *everything* is the object of a verb, then the combination **ho ... tot**, cf. *it all*, must be used: **Ho saben tot** *They know everything*; **Pots repetir-ho tot?** *Can you repeat it all?*.

Exercise 7

Fill in the blanks with an item from the list that is represented by the pronouns **ho** (neuter) or **lo** (direct object pronoun, Unit 4).

calent, que aquest és el seu cotxe, el disc compacte, que fumar és dolent, aquest llibre, és teu això d'aquí?, alt i ros, el jersei de llana

1 Llegeix-**lo**, és molt divertit. _____
2 El cafè **ho** està molt. _____
3 Vaig escoltar-**lo** una sola vegada. _____
4 Diu que vol donar-**lo** a una amiga. _____
5 La Marta no **ho** vol entendre. _____
6 **Ho** és més el meu germà. _____
7 Com **ho** saps? _____
8 Sí que **ho** és. _____

Grammar

E *Portar* and *tenir* in descriptions

The standard way of describing physical attributes is with **ser** and **tenir**, as in **La senyoreta Marí és morena i té els ulls verds.** Both verbs serve to present permanent characteristics, while **portar/dur** refer to something that can be changed or worn, like in **porta ulleres i du un vestit rosa.** But, be careful, because we can find sentences like **porta els cabells arrissats** and **té els cabells arrissats / és arrissada,** which are different: while the first one refers to a result of hairdressing, in the second one she has natural curly hair.

F Position of adjectives and adverbs

The normal position of qualifying or descriptive adjectives is after the noun, as illustrated in the dialogues. The adverb (unless standing at the beginning of a sentence) is usually positioned directly after the verb: **Això s'arregla ràpidament** *This can be quickly sorted out.*

Remember that when the verb is in a compound tense, the adverb will not divide the auxiliary from the main verb: **El problema es va resoldre fàcilment.**

An exception to this is **ben** *well, really, very, quite* which is the form taken by **bé** when it precedes an adjective, infinitive or participle: **Em van ben sorprendre** *They really surprised me.*

Exercise 8

An Internet friend has just e-mailed you, wanting to know what you look like, before she comes to meet you. Read the e-mail carefully and then answer the questions which follow.

VILAWEB

Per a: manel-marti@correu.vilaweb.com
CC:
De: <ipadrosa@correu.vilaweb.com>
Tema: trobada

ACTUALITZAR
SORTIR
CARPETES
LLIBRETA
PREFERÈNCIES
AJUDA

Hola,
quina sort que ens trobem finalment! T'envio aquest missatge breu per a explicar-te com sóc físicament, així segur que ens reconeixem a l'aeroport. Tinc vint-i-sis anys i sóc morena de pell. Sóc baixa, faig un metre i seixanta centímetres, aproximadament. Tinc els cabells foscos, llargs i estirats i normalment porto una cua. Tinc els ulls verds i no em maquillo gairebé mai. Acostumo a portar roba d'esport, texans i samarretes. També duc ulleres, gairebé sempre. Això es tot. Escriu-me aviat! Petons.
Iolanda

Prem aquest botó per adjuntar fitxers al missatge AFEGIR

ENVIAR   CANCEL·LAR

1 Quina alçada fa la Iolanda?
2 Com té els cabells?
3 Què és el que no acostuma a fer?
4 Com vesteix?
5 Què duu molt sovint?

Exercise 9

Now send Iolanda an e-mail describing, in Catalan, your own appearance. Take as much vocabulary and language structure as you want from Exercise 8.

Exercise 10

Look carefully at these newspaper small ads. For five of the six entries on the left find a suitable partner from those on the right. There is an 'odd one out' on either side.

Noia busca noi

1 Laia, 44 anys i separada. Busco noi per a compartir coses. Zona Barcelona. Bústia: 3124

2 Neus, 41 anys, 1,75, prima, ulls foscos, romàntica i molt dinàmica. Busco home. Truca'm. Bústia: 6597

3 Separada de 32 anys, 1 fill. Busco relació amb noi entre 32–40 anys, bon físic i agradable. Bústia: 1276

4 Eva, 42 anys, atractiva i simpàtica. Cerco home atractiu, sensible, nivell cultural mig-alt, fins a 46 anys. Bústia: 7435

5 Senyora de 55 anys busca persona educada i amant de la música clàssica per a possible relació. Bústia:1827

6 Mireia, jove, bonica i agradable. Desitjo conèixer noi compatible entre 18–35 anys per a relació seriosa o amistat. Bústia: 7591

Noi busca noia

a Jordi, casat i apassionat, divertit i atractiu. Busco noia casada o liberal per a relacions esporàdiques. Bústia: 4367

b Miquel, 32 anys, maco. Busco noia entre 27–33 anys, simpàtica i alegre, per a relació seriosa. Bústia: 4581

c Noi, 34 anys, busco noia maca i simpàtica per a conèixer-se, amistat o futura relació. Truca'm. Bústia: 6217

d Jove de 37 anys, separat i sense fills busca noia semblant per a possible relació. No importa edat. Barcelona. Bústia: 8539

e Cerco estabilitat amb noia entre 35–43 anys. M'agraden les activitats esportives i d'aventura. Si ets activa, truca'm. Bústia: 6429

f Jaume, 40 anys, simpàtic. Nivell cultural elevat. Cerco noia senzilla de bon físic, per a relació estable. Bústia: 4248

Exercise 11

For each of the following words choose a synonym from the box below.

1 atractiva
2 buscar
3 compatible

4 simpàtica
5 actiu
6 estable

maca, seriosa, agradable, semblant, cercar, dinàmic

12

festa major
local festivities

In this unit you will learn
- how to talk about events in the recent past
- how to talk about incidents in the city
- how to talk about your pastimes

Before you start

In Unit 10 you learned how to express actions completed in a distant past, using the preterite tense with **vaig, vas**, etc. plus infinitive. In this unit we deal with actions completed in a past time which is understood to be still connected to the present. This is the perfect tense (sometimes called the 'present perfect') and it is formed with the auxiliary verb **haver** *to have* introducing the past participle. **Haver** is conjugated thus: **he, has, ha, hem, heu, han.**

The past participles of regular verbs are formed as follows:

1st conj. (-**ar**)	*2nd conj.* (-**er**/-**re**)	*3rd conj.* (-**ir**)
parlar > parl + **at**	perdre > perd + **ut**	dormir > dorm + **it**
parlat (*spoken*)	perdut (*lost*)	dormit (*slept*)

(Participles of irregular verbs are introduced in Grammar A of this unit.)

As in English, the perfect tense is associated with time references conveyed by demonstrative **aquest** meaning *this*: **Aquesta setmana ha fet bon temps** *The weather has been fine this week.*

Catalan, however, always uses the perfect tense for an action which has taken place *today* (the past seen invariably as still connected to the present). In this case (actions completed *today*) Catalan must have a perfect tense where English may have a preterite: **Avui/Aquest matí he vist la Carme** *Today / This morning I saw Carme*; **M'he aixecat d'hora (avui) i així he pogut arribar abans del migdia** *I got up early (today) and so I was able to arrive before noon.*

▶ 1 Hi ha hagut un robatori a la joieria
There has been a robbery in the jeweller's shop

Montse and Tim are at a town festival. It's 5.00 p.m. and they are in the street when they meet a friend.

Eduard Hola nois, ja sou aquí?
Montse Sí, hem arribat aquesta matinada. I tu què, ja has anat a l'exposició de pintures?
Eduard Ara en vinc i m'ha agradat molt ... Sabeu que han entrat a robar a la joieria de la Judit?

Tim	Què dius ara! I què ha passat? Com està ella? S'han endut moltes coses?
Eduard	Encara no se sap ben bé. Per sort no hi ha hagut cap ferit, però la Judit, pobra, està molt espantada. L'han portada a la comissaria i ara la policia l'està interrogant.
Tim	És una noia valenta, però ...
Eduard	Ja ho pots ben dir ...! Enguany no sé què passa. Fa un mes hi va haver aquell accident de trànsit just davant de casa. Uns dies després l'incendi al mercat i avui aquest robatori.
Montse	Tens raó, ha estat un any dolent ... I a la festa, ja hi has participat?
Eduard	Home, i tant! Aquest matí he tocat a la cercavila. I abans de dinar he muntat l'escenari per al concert.
Tim	Penses anar al recital de música clàssica a les set?
Eduard	No, no en tinc ganes ... He parlat amb la meva xicota i hem decidit anar al teatre.

l'exposició (f.)	*exhibition*
la pintura	*painting*
passar	*to happen (here)*
endur-se (irregular)	*to take away*
per sort	*good luck*
ferit/-da	*injured*
pobre/-a	*poor*
espantat/-da	*frightened*
valent/-a	*brave*
ja ho pots ben dir!	*you can say that again!*
enguany	*this year*
el trànsit	*traffic*
l'incendi (m.)	*fire*
tenir raó	*to be right*
***tocar**	*to play an instrument (here)*
la cercavila	*street serenading (in groups)*
muntar	*to assemble, to set up*
l'escenari (m.)	*stage, set*
***pensar** + infinitive	*to intend to*
tenir ganes de ...	*to be keen to ...*

Exercise 1
Go through the dialogue again and act it out, preferably with a partner.

▶ Exercise 2

You are going to hear some words, partially written below. Listen carefully and decide whether the sound corresponding to the missing part has to be written with **g**, **gu** or **gü** + vowel. The first word has been done for you.

Example: guerra

1 ai_____
2 _____a
3 _____tarra
4 pin_____í
5 ve_____da
6 car_____l

7 llo_____r
8 se_____nt
9 _____st
10 boti_____ra
11 se_____n

❶ Festa major

Each town or village celebrates annually a particular date or occasion, often the feast of the local patron saint. The occasion is not to be missed if you are in the area, and locals living away will take great pains to be back home for the festive period. The religious origins and contents of the **festa major** are conspicuous: in the south **moros i cristians,** recalling historical religious conflict, figure prominently. Municipal authorities, neighbourhood and recreational groups organize diverse activities centred on processions, music, sporting competitions, fireworks, etc. Among these there may well be a session of human-tower building (as illustrated on our cover) by well-supported groups of **castellers.** Many places, including very small villages, have colourful and spectacular (and usually noisy) rituals: **La Patum de Berga** is perhaps the most famous of these. The **ball de festa major** will usually be the highlight of the social programme, complemented by performances by the local **orquestra** or **cobla** (the latter playing traditional instruments and accompanying the 'national' dance, **la sardana**). The festive spirit which accompanies all the activities (**partits de futbol o bàsquet** *football or basketball matches,* **exposicions** *exhibitions,* **fires** *markets,* **danses tradicionals, espectacles teatrals o musicals**) is stimulated by the **cercavila,** when various groups wander the streets playing lively music. Night-time parades and processions, with **gegants** *giants* and grotesque animal figures, often end with dramatic **focs d'artifici** *fireworks* and the **correfoc** in which braver spirits run among the flashes and bangs.

▶2 Aquest cap de setmana he jugat a futbol *This weekend I played football*

Montse	Què heu fet aquest cap de setmana?
Eduard	La Roser ha anat a nedar a la piscina, com sempre, i jo he jugat a futbol.
Tim	I a tennis, ja no hi jugues?
Eduard	Aquest mes només hi he jugat un parell de vegades. Ara m'he afeccionat a anar a pescar. M'estimo més fer això que anar a la platja a parar el sol.
Montse	Jo penso començar un curset per aprendre a tocar la guitarra. Tu toques algun instrument, Tim?
Tim	Des de petit he tocat el piano però actualment ja no ho faig. Ara passo molta estona jugant a escacs.
Eduard	Deus ser molt bo. Ja t'has apuntat al campionat?
Tim	Sí, ja ho he fet. Demà comencem.

nedar	to swim
***jugar**	to play
com sempre	as usual
afeccionar-se	to grow fond
pescar	to fish
parar el sol	to sit in the sun
el curset	short course
aprendre (irregular)	to learn
actualment	at the moment
passar estona	to spend time
els escacs	chess
apuntar-se	to enrol, to sign up
el campionat	championship

Exercise 3

Veritat o fals?

1 La Roser va a nedar a la piscina cada cap de setmana.
2 L'Eduard ara va més a pescar que a jugar a tennis.
3 La Monste toca la guitarra des que va a un curset.
4 En Tim encara no s'ha apuntat al campionat d'escacs.

Key words and phrases

Talking about things in a recent past

Què heu fet avui?	*What did you do today?*
Hem anat a fer un volt amb bicicleta.	*We went for a bike ride.*
Heu estat mai a Dènia?	*Have you ever been to Dènia?*

Temporal adverbs/structures with the perfect tense

avui	*today*
fa una estona/unes hores/ uns minuts ...	*one moment/some hours/some minutes ... ago*
aquest matí/vespre/cap de setmana/mes/any	*this morning/evening/ weekend/month/year*
aquesta tarda/nit/matinada/ setmana	*this afternoon/night/early morning/week*
mai/ja/encara/alguna vegada	*(n)ever/already/yet/ever*

Incidents in the city

Què ha passat?	*What has happened?*
Han robat al banc.	*Someone has broken into the bank.*
Hi ha hagut un incendi/una explosió/un atracament/un accident.	*There has been a fire/an explosion/a hold-up/an accident.*

Talking about pastimes (2)

Què fas durant les vacances?	*What do you do in the holidays?*
Vaig a fer un volt amb la bicicleta.	*I go for a bike ride.*
Toco el piano/la guitarra/la trompeta.	*I play the piano/guitar/ trumpet.*
Jugo a cartes/escacs.	*I play cards/chess.*
Me'n vaig a la muntanya.	*I go off to the mountains.*
Vaig a buscar bolets.	*I go mushroom collecting.*

Grammar

A The past participle

1 The formation of past participles for regular verbs has been explained at the beginning of this unit. There are some consistent patterns for participles of irregular vebs, notably those showing the ending -**gut**.

venir	> vingut	beure	> begut	tenir	> tingut
haver	> hagut	conèixer	> conegut	deure	> degut
poder	> pogut	voler	> volgut	valer	> valgut

And, for verbs whose infinitive ends in -**endre**, the ending is -**ès**:

entendre	> entès	comprendre	> comprès
encendre	> encès	(*but* prendre	> pres)

Participles of other common irregular verbs are:

escriure	> escrit	veure	> vist	treure	> tret
obrir	> obert	fer	> fet	viure	> viscut
ser	> estat/sigut	oferir	> ofert	prometre	> promès
respondre	> respost				

2 Auxiliary **haver** is never separated from the participle:

Vostè ha viscut sempre   *Have you always lived here?*
   aquí?/Sempre ha viscut
   aquí vostè?

except in the simple case of **ben**: **M'has ben confòs** *You have really confused me.*

3 The past participle may optionally agree with third-person direct-object pronouns coming before **haver**: as in Dialogue 1 (**L'han portada…**, where **la = Judit**).

Les claus? Les he perdut/   *The keys? I have lost them.*
   perdudes.

Exercise 4

Here is an official letter inviting you to a special event, a book launch. All the verbs in the past tense have been removed from the text. Choose the appropriate tense (preterite or perfect) to fill in the blanks. Also you can compare the formal composition of this letter with the more familiar tone used in the texts you saw in Units 6 and 11.

Cornellà del Terri, 3 de maig del 2003

Benvolgut senyor Piramon,

L'Ajuntament de Cornellà es complau a convidar-lo a la presentació del llibre *La meva vida i l'esport* de Jesús Miqueló, el proper diumenge dia 15 al Saló d'Actes de l'Ajuntament. L'Editorial Tresveles i l'autor _____**1** (decidir) presentar-lo públicament al nostre poble. Com vostè ja sap, el senyor Miqueló _____**2** (passar) una llarga etapa de la seva carrera esportiva en el nostre poble i per això mateix _____**3** (acceptar) la nostra invitació. Miqueló _____**4** (entrar) a formar part del club de patinatge de Cornellà l'any 1998 i un any després _____**5** (proclamar-se) campió de Catalunya en la seva categoria. Des de llavors i fins fa poc no _____**6** (parar) d'entrenar-se a les instal·lacions del nostre club. Just aquest mes _____**7** (participar) en els campionats d'Europa i el mes de gener passat _____**8** (quedar) en sisena posició als mundials que _____**9** (tenir lloc) al Brasil.

Esperem la seva assistència a l'acte.

Atentament,

L'alcalde
Àngel Bartra i Casacuberta

P.D. Preguem confirmació.

Exercise 5
Read the letter again and write the corresponding Catalan expressions used in formal letters.

1 Dear Mr/Mrs
2 The town council is pleased to …
3 We hope you can attend the ceremony.
4 Yours sincerely/faithfully
5 RSVP
6 P.S.

Grammar

B *Pensar* + infinitive

You will study the Catalan future tense in the next unit. Both dialogues here, however, introduce a way of expressing the idea of a future action with **pensar**. Here **pensar** + infinitive means *to intend to*: **Penso respondre demà** *I mean to/shall reply tomorrow*.

C Review of *en* and *hi*

You are in a good position to appreciate the importance of these little words in the machinery of Catalan grammar.

En represents **de** (*of, from*) combined with a pronoun or reference to a noun. In Unit 4 you used expressions in which **en** refers to a quantity *of* something: **De farina no en tenim.** Similarly, when **de** means *about*: **N'has parlat amb en Terenci?** *Did you speak to Terenci about it?*

Notice, in Dialogue 1 of this unit, Eduard's **Ara en vinc**, where **en** now conveys the idea of *from* (the exhibition). Another example of this use: **He entrat a la feina a les 8 i no n'he sortit fins a les 9 del vespre** *I went into work at 8 o'clock and I didn't leave until 9 this evening.*

In Dialogue 2 we are reminded of how **hi** represents **a** + pronoun (or reference to a noun), in **ja no hi jugues?** and **hi he jugat un parell de vegades** (where **hi** = **a tennis** in both cases). Here are some more examples:

Ja has anat al lavabo? – No, encara no hi he anat.	*Have you been to the toilet yet? – No, I haven't been (there) yet.*
Si vas a l'estació puc acompanyar-t'hi, si vols.	*If you're going to the station I can give you a lift there, if you like.*

You will find it useful to look again at the section on **ho** (Grammar D, Unit 11), another small but essential 'cog' in Catalan grammar. When you feel confident in using **en, hi** and **ho** you can be sure that your fluency is very well advanced.

D *Ser* and *estar* with adjectives

You have seen that *to be* is expressed by two different verbs in Catalan, **ser** and **estar**. Here we focus on distinctions in the way these verbs combine with adjectives.

Ser expresses a quality that is understood to be inherent or permanent: **En Jaume és llest i treballador** *Jaume is clever and hard-working*; **Aquesta proposta és atractiva** *This proposal is attractive.*

Estar, on the other hand, expresses a state or condition that is seen as subject to or the result of change: **Ara està trista** *She is sad now*; **Estic més prim que abans** *I am slimmer than before.*

This basic contrast is seen clearly in Dialogue 1, where we hear **La Judit està espantada ... és (una noia) valenta.** In Unit 11

Dialogue 2 we heard **La Mercè està prima**, conveying the idea that she has lost weight, whereas **és prima** would mean that she is a slim person. Because **ser** and **estar** offer different ways of viewing quality or properties in a subject, a number of adjectives (like **prim/-a** just here) can be introduced by either verb, with clearly differentiated nuances. If **som alegres** means *we are happy/cheerful (people)* and **estem alegres** means *we are happy/cheerful* (now, because of something that has happened), you should be able to make up similar contrasting pairs with adjectives like **dèbil** *weak*, **nerviós/-a** *nervous*, **tranquil/-il·la** *calm*, etc.

A final review of **ser** and **estar** is made in Unit 16.

Exercise 6

For every sentence, choose the correct verb (**ser/estar**).

1 La Montse _____ força blanca de pell, però a l'estiu sempre _____ més morena.
2 La camisa _____ de color blau i a més _____ molt barata.
3 _____ una ciutat industrial, però m'agrada perquè _____ molt ben situada.
4 En Jordi _____ un jove molt tranquil. Avui, que té un examen, _____ poc tranquil.
5 _____ contentíssims perquè han guanyat un premi!
6 _____ rossa la Margarita? No, no ho és pas, _____ tenyida.

Grammar

E Uses of *jugar* and *tocar*

You will have noticed the distinction made in Catalan between **jugar** *to play* (games and sports) and **tocar** *to play* (musical instrument). Here are some more examples:

Aquest músic toca molt bé el violí.	*This musician plays the violin very well.*
A la tarda anem a jugar a cartes.	*In the afternoon we are going to play cards.*

Remember also the **g > gu** and **c > qu** changes in parts of verbs like **jugar** and **tocar**. See Unit 3, Grammar A and Unit 4, Grammar G.

▶ Exercise 7

Look at this diary of events and listen to the recording. You will hear four people talking about one of the activities listed in which they have participated. You have to match each person (A–D) to one of these towns (Igualada, Maldà, Sabadell, Tarragona, Tàrrega and Terrassa). Note that two of them are not needed.

IGUALADA
22.00:
'No et vesteixis per sopar'. Representació teatral de l'obra de Marc Camoletti. A càrrec de la companyia Greta & Aurora. Teatre Municipal l'Ateneu. Sant Pau, 9.

MALDÀ
19.30:
Festa infantil. Amb balls, jocs i cercavila. A càrrec del grup d'animació De Pata.

SABADELL
12.00:
'El parxís màgic'. Espectacle de teatre musical per a tots els públics de Jaume Esquius, amb música de Quim Serra. A càrrec de la Companyia Teatre de Paper. Teatre del Sol. C/ del Sol, 99.

TARRAGONA
23.00:
Actuació del grup El Cortijo de los Callaos. Dins del programa *Tarragona Cultura Contemporània*. Sala Zero. Sant Magí, 12.

TÀRREGA
Mercat mensual de segells, monedes i pins. Vestíbul del Teatre Ateneu. Durant el matí.

TERRASSA
23.00:
Actuació de Jorge Pardo (saxòfons i flauta), Carles Benavent (baix) i Tino di Geraldo (bateria i percussió). Concert de jazz-flamenc. Nova Jazz Cava. Passatge Tete Montoliu, 24.

Adapted from *Avui*, 5 January 2003.

Exercise 8

Here are the outlines of a story. Write a proper story with the correct form of the perfect tense for each infinitive. You can use expressions of time like **després**, **tot seguit**, **immediatament** and also make connections with **i**.

L'ANDREU AVUI (llevar-se a les 9, llegir el diari, acompanyar la filla a la ciutat, veure un client, jugar un partit d'esquaix, guanyar el partit, dutxar-se, fer el dinar, recollir la nena, treballar a l'ordinador, connectar-se a Internet, anar a una festa, ballar, beure cervesa)

Exercise 9

For further practice rewrite the story, using the preterite, as if all these events took place yesterday.

13

demà plourà

tomorrow it is going to rain

In this unit you will learn
- how to talk about projects and events in the future
- how to talk about the weather
- how to ask for services in a bank
- how to reply to an invitation
- how to send apologies

▶ 1 Fa molta calor *It's really hot*

Montse, Roser and Eduard are on the beach.

Roser   Estic farta de parar el sol! Fa massa calor. Me'n vaig a l'aigua.

Eduard   Aprofita-ho, que l'home del temps diu que demà plourà.

Montse   Ah sí? i per quants dies?

Eduard   Sembla que farà mal temps durant un parell de dies i baixaran les temperatures, però divendres tornarà a fer sol.

Roser   El meu cosí demà se'n va al Pirineu a escalar, segur que allà també hi trobarà pluja.

Eduard   O neu!

Roser   Sí home, al mes d'agost!

Eduard   La veritat és que a l'estiu hi ha moltes tempestes fortes a la muntanya, amb calamarsa i tot.

Montse   I vosaltres, no aneu de vacances enguany?

Eduard   Sí, però al setembre. Anirem a fer un creuer pel Mediterrani. Ens hi estarem dues setmanes.

Roser   Bé, ja no puc més. Vaig al bar a buscar una aigua ben fresca. Aquesta d'aquí ja està calenta, calenta.

Eduard   No està calenta, està bullint ...

Montse   Roser, em pots fer un favor? Treu la crema que hi ha a la meva bossa i passa-me-la, sisplau.

fart/-a	*fed up*
fer calor/sol/mal temps	*to be hot, sunny, bad weather*
***anar-se'n**	*to go (away)*
***que**	*because (here)*
l'home del temps	*weather man, forecaster*
***ploure**	*to rain*
tornar a + infinitive	*to ... again*
escalar	*to climb*
la pluja	*rain*
la neu	*snow*
la tempesta	*storm*
fort/-a	*heavy, strong, powerful*
la calamarsa	*hail*
... i tot	*even*
el creuer	*cruise*
calent/-a	*hot*
la bossa	*bag*
la crema	*sun cream (here), cream*

Exercise 1

Veritat o fals?

1 L'home del temps ha pronosticat que hi haurà nevades al Pirineu.
2 L'Eduard i la Roser no marxen aquest mes de vacances.
3 L'aigua del mar està molt calenta.
4 La crema pel sol és a dintre de la bossa de la Montse.

Exercise 2

Read the dialogue again and act it out, preferably with a partner.

Exercise 3

Now that you know some weather-related vocabulary, you can match each of the symbols below with the appropriate phrase:

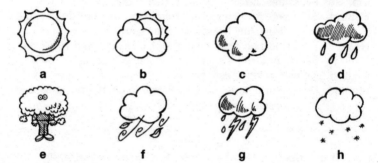

1 Plou.
2 Fa sol.
3 Està núvol.
4 Està nevant.
5 Fa vent.
6 Fa boira.
7 Està cobert.
8 Hi ha tempesta.

▶2 Quan m'ho ingressaran? *When will it be credited to my account?*

Tim is in a bank.

Tim　　Bon dia, tinc uns vuit-cents dòlars i els vull ingressar al meu compte.

Empleat	Em deixa el carnet? ... Gràcies. A quin compte els posem, al corrent o al d'estalvi?
Tim	Al compte corrent, sisplau. Aquí té la meva llibreta ... A quant està el canvi?
Empleat	Avui un euro val 1,15 dòlars.
Tim	I quan els tindré ingressats, els diners?
Empleat	Acostuma a tardar un parell de dies feiners. Demà passat ja estaran disponibles al seu compte.
Tim	Moltíssimes gràcies.
Empleat	De res. Passi-ho bé.

ingressar	*to pay in*
el compte	*account*
el carnet (d'identitat)	*identity card*
l'estalvi (m.)	*saving*
acostumar a	*to happen (to do) usually*
el dia feiner	*working day*
disponible	*available*
passi-ho bé	*goodbye (formal)*

Exercise 4

Answer these questions:

1 En Tim, vol treure diners del banc?
2 L'empleat li demana la llibreta?
3 Un euro val més d'un dòlar i mig?
4 Els diners estaran disponibles immediatament?

▶ Exercise 5

Before beginning this exercise refer again to the **Pronunciation and spelling** section.

a Listen to the following words and say whether the underlined vowels sound as one syllable or two separate syllables.

Example: feina (*one syllable*) veïns (*two syllables*)

1 sisplau 2 raïm 3 ploure 4 país 5 neu 6 mai 7 dia
8 cuina 9 Pirineu 10 Suïssa

b Decide from what you hear whether these words require a written accent:

   1 parlara/vindran/canço/cargol/bonic/anire/donem
   2 parla/arriba/platan/donen/rapid/sabates/regim
   3 esglesia/secretaria/musica/pagina

▶3 No podré venir *I'm not able to come*

Montse has been invited to an exhibition, but she will not be able to attend. She calls the painter, a friend of hers, to let him know, by leaving a message on his answering machine.

colors

Martí Llansó i Rosset

Us convida a la inauguració de l'exposició *colors* de pintures a l'oli i aquarel·les.

A la Sala Les Coves d'Olot, el dimecres 4 de setembre a partir de les 20 h.

Horaris de visita: de dimarts a dissabte de 17 a 21 h., fins el 15 de novembre.

Contestador	(Aquest és el contestador automàtic d'en Martí Llansó. Ara no sóc a casa però si voleu podeu deixar un missatge després de sentir el senyal.)
Montse	Martí, sóc la Montse. Gràcies per la invitació, però no podré venir a la inauguració. Em sap molt de greu, però seré tot el dia amb uns clients visitant fàbriques al Vallès i al vespre els portaré a sopar al port olímpic. Et prometo que passaré a veure els teus quadres un altre dia. Sort i molt d'èxit! Adéu.

l'aquarel·la (f.)	*watercolour*
el contestador	*answering machine*
el senyal	*signal, tone*
la inauguració	*opening*
prometre	*to promise*
passar a + infinitive	*to go/come and …*
l'èxit (m.)	*success*

ℹ️ Banks

The word for bank is **el banc** and also **la banca**, which means an *investment bank* or *banking* in general. More prevalent than either of these, however, is **la caixa (d'estalvis)**, literally *savings bank*, locally based institutions, part of whose profits goes into social and cultural activities. Most branches (**oficines, sucursals**) will transact currency exchange, sometimes at a special counter, while in busy and strategic places you will find separate **oficines de canvi**.

Key words and phrases

Asking and talking about the weather

Quin temps fa?	*What is the weather like?*
Fa fred/calor/fresc.	*It's cold/hot/fresh.*
Fa sol/vent.	*It's sunny/windy.*
Plou/neva/trona.	*It's raining/snowing/thundering.*
Hi ha boira/tempesta.	*It's foggy/stormy.*
Està núvol/cobert.	*It's cloudy/overcast.*

Talking about future events

Penso tornar-hi aviat.	*I intend to/will go back there soon.*
Anireu de vacances?	*Are you going on holiday?*
Sí, hi anirem el mes que ve.	*Yes, we are going (on holiday) next month.*
Vindreu a sopar a casa?	*Will you come to dinner at my house?*
Em sap molt de greu però no podrem venir.	*I am really sorry but we shan't be able to come.*
Ho sento però no tindré temps.	*I am sorry but I won't have time.*

Expressions of future time

demà/demà passat	*tomorrow/the day after tomorrow*
d'aquí a dos dies/mesos/anys	*in two days/months/years time*
la setmana/el mes/l'any que ve/vinent/entrant	*next week/month/year*

Services in a bank

ingressar/treure diners	*to deposit/to withdraw money*
el compte corrent/d'estalvi	*current/savings account*
la transferència	*the transfer*

Quant són 100 euros en dòlars/lliures esterlines/francs suïssos ...?
How much is 100 euros in dollars/pounds/Swiss francs ...?

Grammar

A The future tense

The future tense in Catalan behaves basically like the corresponding *shall/will* equivalent in English. The future tense is formed by adding the appropriate ending for each person to the infinitive. These endings are the same for the three regular conjugations and for irregular verbs.

estar + é > estaré	estar + em > estarem
estar + às > estaràs	estar + eu > estareu
estar + à > estarà	estar + an > estaran

Although the endings do not vary, adjustments to the infinitive are often involved, especially for irregular verbs, e.g. **fer > farà**, **anar > anirem** (Dialogue 1), **tenir > tindré** (Dialogue 2) and **poder > podré** (Dialogue 3). As a general rule, verbs ending in -e lose this before the addition of the endings: **prometre > prometré, treure > treuré**, etc.

Exercise 6

Take the conversation exchange below as a model, and complete the ones that follow:

Example:

Que teniu el nou compacte d'en Lluís Llach?
No, encara no *ha sortit* a la venda (**sortir**).
I quan *sortirà*?
A principis de setembre.

1 Que teniu la darrera novela de la Maria Barbal?
No, encara no _____ (**arribar**).
I quan _____?
A finals d'aquest mes.

2 Que teniu la revista El Cornetí d'aquesta setmana?
No, encara no _____ (**distribuir-se**).
I quan _____?
Demà al matí.

3 Que teniu la nova edició del Mapa comarcal dels Països Catalans?
No, encara no _____ (**publicar-se**).
I quan _____?
L'any vinent.

4 Que teniu el nou model de telèfon mòbil?
No, encara no _____ (**posar-se a la venda**).
I quan _____?
No ho sabem.

Grammar

B *Que* meaning 'because'

When Eduard says in Dialogue 1 **Aprofita-ho, que l'home del temps diu …** we hear a construction involving **que** which is very common in colloquial Catalan. As in this case, **que** is often inserted to connect one idea to another where English might use a more explicit link word or perhaps supply the connection with just a pause (sometimes represented in writing by a dash):

Corre, home! que farem tard!	*Get a move on, man! We're going to be late.*
Calla, que ens escolten aquells.	*Be quiet – that lot can hear us.*

Perquè *because* and not **que** will be used in more formal contexts.

C *Anar-se'n* 'to go (away)'

This verb means *to go (away)* and it appears in contexts where simple **anar** might be expected. It is rather similar to French *se'n aller* in that a combination of two pronouns (reflexive + **en**) is an integral part of the infinitive and all conjugated parts. The position and spelling of the pronouns in the different tenses require special attention, e.g. **te'n vas, te'n vas anar, te n'has anat, vés-te'n** or **ens n'anem, ens en vam anar, ens n'hem anat, anem-nos-en**, etc.

D Combination of two pronouns

Anar-se'n illustrates this feature very well. However, it is difficult to absorb all at one go the principles and the multiple combinations found in this complex aspect of Catalan grammar. For this reason you are being introduced gradually to it, through naturally occurring cases in the dialogues, etc. Remember **ens hi vam divertir molt** and **me'l puc emprovar** or **com s'ho fa la gent per aprimar-se**, from Unit 10, Dialogue 1 and Unit 11, Dialogues 1 and 2. Then look again at **ens hi estarem** and **passa-me-la** in Dialogue 1 of this unit. If you analyse these sentences you should be able to identify the function of each pronoun involved. In the first case **hi** refers back to **pel Mediterrani** integrated with reflexive **estar-se** (*to be*, *to stay*). In the case of **-me-la** (after the command **passa** *give*) we see that **-me** is indirect object *to me* combined with **-la** which refers back to **la crema**.

Using this approach you will progressively grasp the principles involved and thus acquire a sound basis for being accurate and fluent yourself. You will be given more practice and guidance in this area in Unit 14.

Exercise 7

Substitute pronouns for the elements in italics in each of the following sentences, as in the examples. (Before beginning you might like to revise Unit 6, Grammar B and to look ahead to Unit 14, Grammar B).

Example:

Demà acompanyaré *els teus pares a l'aeroport.*   Demà **els hi** acompanyaré.

Ahir no vaig explicar *a en Joan això.*   Ahir no **li ho** vaig explicar/ vaig explicar-**li-ho.**

1 La Dolors col·loca *els papers al calaix.*
2 No va poder comprar *a mi la faldilla.*
3 Els meus amics convidaran *a nosaltres a la festa.*
4 Diré *als estudiants que demà no hi ha classe.*
5 Tornem *a tu les claus del cotxe.*
6 Porto *a elles flors.*
7 Ha repartit *a nosaltres invitacions.*

Grammar

E Impersonal verbs referring to weather conditions

Dialogue 1 clearly shows the importance of the verb **fer** when talking about the weather. We say that **fer** in these expressions is used impersonally because the unstated subject is really 'the weather'. Something similar applies to **ploure** to *rain*, **nevar** to *snow* and **tronar** to *thunder* and to the expressions with **estar** and **hi ha** illustrated in Exercise 3 and in Key words and phrases.

▶ Exercise 8

Listen to a radio presenter – with a Valencian accent – announcing a popular race. From what you hear, complete the written announcement below.

CURSA POPULAR CIUTAT DE VALÈNCIA

Dia 1 _____

Hora 2 _____

Recorregut 3 Eixida _____

    4 Arribada _____

Lloc i termini d'inscripcions 5 _____

Premis 6 Primer _____

       7 Segon _____

       8 Tercer _____

Exercise 9

Imagine you have been invited to a party but you cannot go. Complete the dialogue writing your part as indicated:

Amic Què, vindràs a la festa dissabte?
1   *(Say you are sorry but you will not be able to attend.)*
Amic On seràs?
2   *(Say you are going to Andorra, to visit your cousin who is in hospital.)*
Amic I quants dies t'hi estaràs?
3   *(Say you will stay there for a couple of days.)*
Amic Ens veurem la setmana que ve?
4   *(Say 'yes' and say you will call him.)*

Exercise 10

Have a look at the map and, according to the symbols, complete the text below using either weather vocabulary or the future tense of the verbs indicated.

TEMPERATURES		
	Màx.	Mín.
Alcoi	32	20
Andorra La Vella	25	14
Elx	31	21
Granollers	30	18
Maó	30	19
Salou	33	20
Tortosa	33	19
Vic	29	17

	Màx.	Mín.
Brussel·les	26	16
Dublín	23	17
Estocolm	20	8
Londres	24	15
Madrid	31	21
París	27	15
Roma	32	20
Viena	23	13

Pronòstic per a demà:

Al nord dels Països Catalans hi _____(haver, 1) molta nuvolositat amb possibilitat de _____(2) al final del dia. Les temperatures _____(baixar, 3) dels 28 graus d'ahir als 20. A Andorra, tot i que el dia _____(iniciar-se, 4) amb sol, cap a la tarda pot haver-hi pluges dèbils. Al centre de la zona _____(dominar, 5) el sol, sobretot a la costa, amb _____(6) que _____(arribar, 7) als 35 graus. A la costa nord _____(bufar, 8) vent de tramuntana i a les terres de l'interior hi pot haver _____(9). A les Illes també hi _____(fer, 10) sol, alternant-se amb algun _____(11) a mitja tarda. A les terres del sud, el cel _____(estar, 12) cobert amb possibilitat de pluja. Les temperatures _____(mantenir-se, 13) com els darrers dies.

Exercise 11

Now you can practise on your own, writing a weather forecast for your area tomorrow.

14

oferta de treball
work opportunity

In this unit you will learn
- how to discuss requirements for and details of a job
- how to talk and write about obligations and responsibilities

▶1 És una empresa privada *It's a private company*

Montse has been dismissed from her former job and now she wants to apply for a new one. She has found an interesting opening in a list of situations vacant.

Montse	Has llegit el diari d'avui?
Anna	No. Per què?
Montse	Hi ha una oferta de treball que sembla interessant.
Anna	Ah sí! I de què es tracta?
Montse	És una feina en una empresa privada. Busquen un llicenciat en químiques per treballar al seu laboratori.
Anna	I a què es dedica aquesta companyia?
Montse	Fan productes nutricionals per a animals. És una empresa gran, filial d'una marca internacional.
Anna	I quines condicions de treball ofereixen?
Montse	No ho diu l'anunci. Però hi puc trucar i els ho demanaré.

Telefonista	Laboratoris Suprix, digui?
Montse	Bon dia. Voldria parlar amb la senyoreta Sílvia Serrat.
Telefonista	Què diu? No la sento bé. Pot parlar més alt, per favor?
Montse	Em pot posar amb la senyora Serrat?
Telefonista	Ara sí que la sento. De part de qui, sisplau?
Montse	Ella no em coneix. Truco perquè estic interessada en l'oferta de treball que anuncieu al diari.
Telefonista	Ah sí, ara l'hi passo (...) Ho sento, però en aquest moment està parlant per l'altra línia. Pot tornar a trucar d'aquí a cinc minuts?
Montse	D'acord!

*per què?	*why?*
tractar-se	*to be about, to involve*
llicenciat/-da	*graduate*
la química	*chemistry*
la filial	*subsidiary*
la marca	*(trade) mark, brand*
l'anunci (m.)	*advertisement*
alt	*(here) loud*
per favor	*please*
*l'hi	*see Grammar C*
passar	*(here) to put on (telephone)*

▶2 S'ha de tenir experiència
Experience is required

Montse	La senyoreta Serrat, sisplau?
Telefonista	Un moment, ara s'hi posa.
Sílvia	Sí, digueu?
Montse	Bon dia. Truco perquè he vist el seu anunci de treball i abans d'enviar el meu currículum voldria saber-ne més coses.
Sílvia	El que et puc dir ara mateix és que és una plaça per a un any, amb possibilitat de renovació a contracte indefinit. Les persones interessades han de ser llicenciades en químiques i si és possible amb domini de l'alemany escrit i parlat.
Montse	S'ha de tenir experiència?
Sílvia	Sí, és imprescindible tenir experiència en laboratori, tot i que la persona escollida haurà de passar un curs de formació pagat per l'empresa.
Montse	I en què consisteix exactament la feina? Què haurà de fer la persona designada?
Sílvia	Necessitem una persona capaç de crear nous productes en el camp de l'alimentació per a animals: vaques, conills i cavalls, fonamentalment. Tindrà la responsabilitat de posar a prova i elaborar un producte adaptat a les demandes del mercat.
Montse	I pel que fa a les hores de treball i al sou?
Sílvia	L'empresa té un horari de treball força flexible, però s'han de fer 40 hores setmanals i el treballador té dret a 30 dies laborables per any de vacances. El sou està estipulat en uns 2.200€ bruts, però és negociable i s'haurà de discutir.
Montse	Bé, moltes gràcies per la seva informació.
Sílvia	A disposar.

posar-se (al telèfon)	*to come (to the phone)*
la plaça	*(here) position*
la renovació	*renewal*
***haver de** + infinitive	*must, to have to*
el domini	*command*
alemany/-a	*German*
imprescindible	*essential*
el curs de formació	*training course*
capaç	*able, capable*
el camp	*field*

l'alimentació (f.)	food
la vaca	cow
el cavall	horse
posar a prova	to test
elaborar	to prepare, to make
la demanda	request, demand
pel que fa a ...	about ..., concerning ...
el sou	salary
el treballador	worker
el dret	right
laborable	working
brut/-a	dirty, (here) gross/before tax

Exercise 1
Familiarize yourself with these dialogues and then act them out, preferably with a partner.

Exercise 2
Answer these questions:

1 Quin tipus d'empresa busca un científic?
2 A què es dedica aquesta empresa?
3 Quins són els requisits bàsics per a demanar aquesta plaça?
4 Quina aptitud es considera important però no imprescindible?

▶ Exercise 3
In a spoken sentence you don't hear a sequence of isolated words; what you hear is a sequence of sounds running into each other. In this exercise, listen to these sentences and repeat them focusing on the intonation and on the way words 'run together'.

1 S'ha de tenir experiència?   4 Tanca el calaix!
2 Transports Dalmau, digui?   5 Què dius ara!
3 Oh i tant!   6 De què es tracta?

ℹ Making and receiving telephone calls

Here we revise and extend the simple conventions of telephone conversations that were introduced in Unit 3. **Puc parlar amb ...?** *Can I speak to ...?* or **Em pot posar amb ...?** *Can you put me on to ...?* are the usual ways of asking to be connected with someone on the phone. Don't forget to be polite: **sisplau** *please*. If the person answering is not the one you wish to speak to they may well ask **de**

part de qui? *who (shall I say) is calling?* On answering the phone the most common response is **(sí,) digui** equivalent to *hello*. **Digueu** is also heard, corresponding to an old-fashioned polite form **vós** (the one which also appears in **sisplau = si us plau**). In formal contexts, a name (company, institution or individual) often precedes these formulae: **Institut Ramon Llull, digui?**. The usual way to keep someone on hold is to say **No pengi, sisplau** *Don't hang up, please* or **Un moment, sisplau** *One moment, please*. Pronoun combinations appear frequently in telephone exchanges and you will look again at this matter in Grammar B.

▶ Exercise 4

Complete the phone conversations below, orally or in writing:

1 Bon dia, _____ **a** amb la senyoreta Garcia, sisplau?
  _____ **b** però està _____ **c** (*on another line*). Pot _____ **d** més tard?

2 Assegurances Solà, digui?
  _____ **a** amb el senyor Riera, _____ **b**?
  De _____ **c**?
  Sóc en Santi Roura.
  Un moment, no _____ **d**.

3 _____ **a**
  És la pastisseria Bunyol?
  _____ **b**
  Que _____ **c** en Xavier?
  Un moment, ara _____ **d**.

Key words and phrases

Job characteristics

A què es dedica aquesta empresa?	*What does this company do?*
Fabrica electrodomèstics.	*They manufacture electrical appliances.*
La plaça és oberta a llicenciats/graduats.	*The position is open to graduates.*
Es tracta d'una plaça de metge/infermera.	*The position (vacancy) is for a doctor/nurse.*
El sou/salari brut/net és de ...	*The salary before/after taxes is ...*

El contracte és temporal/
indefinit.

*The contract is temporary/
open-ended.*

Es fan 30 dies de vacances
pagades per any.

*Thirty days' paid holiday per
year are allowed.*

Jobs/professions

mestre/-a	*school teacher*	arquitecte	*architect*
perruquer/-a	*hairdresser*	metge/-essa	*doctor*
paleta	*bricklayer, builder*	infermer/-a	*nurse*
cambrer/-a	*waiter*	lampista	*plumber*
carter/-a	*postman*	pintor/-a	*painter*
aparellador/-a	*master builder*	periodista	*journalist*
fuster/-a	*carpenter, joiner*	secretari/-ària	*secretary*
professor/-a	*teacher (secondary), lecturer (university)*		

Obligations and requirements

És necessari/obligatori
tenir experiència.

*It's necessary to have
experience.*

S'ha de tenir experiència.

One must have experience.

Has d'encarregar-te dels
ordinadors.

*You will be in charge of the
computers.*

Has de netejar tota la classe.

*You have to clean the whole
classroom.*

S'han de fer els comptes.

*The accounts must be drawn
up.*

S'han de preparar les classes.

*The lessons have to be
prepared.*

Exercise 5

Write a correct question for every sentence. Some of them will
start with a question word and in some cases there will be more
than one possible option.

Example:

S'ha de saber parlar
anglès i portuguès.

Quines llengües són necessàries?/
Quines llengües s'han de saber
parlar?

1 Hauràs de començar immediatament, a principis del mes
vinent.
2 L'empresa té un total de 136 treballadors.
3 Sí, el sou es podrà discutir.

4 No, no és necessari tenir experiència en el sector.
5 Tindràs 28 dies de vacances pagades a l'any.
6 Sí, ja tornaré a trucar més tard.

Grammar

A *Haver de* + infinitive (obligation and recommendation)

This is the most usual way to express obligation. It can have the force of a 'toned down' imperative: compare **Neteja els vidres** and **Has de netejar els vidres**. At other times the 'imperative' value of **haver de** is so dilute that it overlaps with the meaning of the future tense: **Demà me n'he d'anar a Sueca** *Tomorrow I have to (shall) go to Sueca.* Impersonal **es** (Unit 7) frequently combines with **haver de** in a construction whose equivalents are *you/one must, have to,* etc. or *it is necessary to.* Note the agreement of the verb: **S'ha de pagar amb anticipació?** *Does it have to be paid for in advance?* and **S'han hagut de rentar tots els llençols** *All the sheets have had to be washed.* (Instead of **he de** you will sometimes hear **haig de,** for the first person singular of **haver de** (but always **he** + participle for the perfect tense).)

Exercise 6

Here are some suggestions on environmental matters. For each sentence choose the appropriate verb from the list and write an impersonal suggestion.

Example: S'ha d'evitar comprar esprais que destrueixen la capa d'ozó.

1 _____ menys el transport i caminar més o anar amb bicicleta.
2 _____ la natura: els rius, els boscos, la muntanya.
3 _____ les deixalles sempre a la paperera i no a terra.
4 _____ el paper, el vidre, el cartró i les llaunes.
5 _____ els productes ecològics als que fan mal al medi ambient.
6 _____ només cotxes amb gasolina sense plom.
7 _____ encendre foc al bosc a l'estiu.

conduir, preferir, tirar, utilitzar, reciclar, respectar, evitar

Grammar

B Pronoun combinations: *li* (+ direct object) > *hi*

Look again at **els ho demanaré** in Dialogue 1 and **ara s'hi posa** in Dialogue 2. Try to work out the function of the individual pronouns in each of these combinations. You will see that in the first case **els** refers, as indirect object, to 'the people' who placed the advert, where **ho** is the direct object of **demanar** and stands for **quines condicions … ofereixen**. In the case of **s'hi posa** we have reflexive **es** combining with **hi** (= **al telèfon**): similarly, with different subjects, we might say or hear **ara m'hi poso** or **per què no t'hi poses?**, etc.

A general rule for the order of pronouns in groups can be summarized as follows: (where any of the elements appear) they come in the order of:

1	reflexive	4	**en**
2	indirect object	5	**hi**
3	direct object		

Now look at the spelling modifications (reflecting pronunciation) entailed when indirect object **em** (> **me**) precedes a third person direct object:

$$\text{me} + \begin{cases} \text{el} \\ \text{la} \\ \text{ho} \end{cases} > \begin{matrix} \text{me'l} \\ \text{me la} \\ \text{m'ho} \end{matrix} \qquad \text{me} + \begin{cases} \text{els} \\ \\ \text{les} \end{cases} > \begin{matrix} \text{me'ls} \\ \\ \text{me les} \end{matrix}$$

Now substitute for yourself **et** (> **te**) in these same combinations (making **te'l**, etc.).

Third person **li** (invariable for masculine and feminine singular) can combine in exactly this way with the same direct-object pronouns (in Valencian Catalan it is the norm). However, in Dialogue 1 we hear what is the usual solution in standard central Catalan for the **li** + direct object group. The telephonist says 'Ah, sí, ara **l'hi** passo …' Here **l'hi** = **la** + **hi**: **la** stands for direct-object Sílvia Serrat, the indirect object is expressed as **hi**; **a vostè** is understood (= **l'hi passo a vostè**). This can be shown graphically as:

$$\text{li} + \begin{cases} \text{el} \\ \text{la} \\ \text{ho} \end{cases} > \begin{matrix} \text{l'hi} \\ \text{la hi / l'hi} \\ \text{li ho / l'hi} \end{matrix} \qquad \begin{matrix} \text{This can be} \\ \text{understood as:} \end{matrix} \qquad \begin{matrix} \text{li + el/la/ho} \\ \diagdown\!\!\diagup \\ \text{l' + hi} \end{matrix}$$

You can observe, first of all, that we have here an exception to the 'rule' that the normal order is indirect object + direct object.

Also to be remembered is that this indirect-object function supplements the other uses of **hi** with which you are familiar (e.g. **s'hi posa** where **hi** = **al telèfon**, etc.).

This information will help you to get your ear attuned to the pronoun behaviour which occurs spontaneously in all levels of speech. Equally important, grasping the principles just explained and imitation of native practice will enable you to express yourself with increasing accuracy and confidence.

Exercise 7

Match the words on the left with an item from the right to form a complete question:

1	El vestit,	**a**	me'n compraràs?
2	La faldilla,	**b**	me'ls rentaran?
3	De mitjons,	**c**	me'l penges, sisplau?
4	Les camises,	**d**	me la planxes?
5	Els pantalons,	**e**	m'ho deixes?
6	Això que duus,	**f**	me les poses a l'armari?

Exercise 8

Here you have some sentences where you should be able to replace the direct object and the indirect object with the corresponding pronouns in combination.

Example:

El meu fill ha de donar *el resultat del problema al seu professor.* > El meu fill *l'hi* ha de donar.

1 Cada dia paga *el cafè al seu director.*
2 L'Antoni posa *les sabates a la seva neboda.*
3 Recomana *a nosaltres aquesta pel·lícula.*
4 Ensenya *la corbata nova a la seva xicota.*
5 Hem de deixar *els diners a vosaltres.*

Grammar

C Main verb with dependent infinitive

You will have noticed that some Catalan verbs are followed directly by a dependent infinitive: **voler** *to want to,* **poder** *to be able to, can,* etc. Remember too expressions of probability with **deure** + infinitive (**Deuen arribar aquest vespre** *They'll probably arrive this evening*), as discussed in Unit 9. **Saber** with the infinitive translates *can* but with the sense of intellectual or inherent capability rather than physical ability (**poder**): **No saps sumar** *You can't (don't know how to) add up.*

Then there are a number of constructions in which the main verb takes a preposition before the infinitive, as in:

tornar a + inf.	*to ... again*	anar a + inf.	*to go and ...*
passar a + inf.	*to go and ...*	venir de	*to (have)*
acabar de	*to have just ...*	+ inf.	*come from ...*
+ inf.		acostumar	*to be in the*
		a/de + inf.	*habit of ...*

D *Per què* vs. *perquè*

These two items sound alike and are obviously related. In writing, though, the distinction between **per què?** *why?* and **perquè** *because* is carefully maintained.

On another level **perquè** also means *in order that*, related to **per** + infinitive *in order to*. The point is best illustrated by comparing **Ho faig per divertir-me** *I do it to amuse myself* with this other construction:

> Ho faig perquè et diverteixis. *I do it in order for you to be amused.*

In the latter case the subject of the second part of the sentences (**tu**) is not the same as that of the main verb (**jo**), whereas in **ho faig per divertir-me** there is only one subject (**jo**). This kind of construction involves use of what is called *the subjunctive mood* of the verb: a topic to which you will be introduced briefly in Grammar E and Unit 15.

Exercise 9

Imagine you have seen a job advert in a paper and you are interested in it. You write them a letter asking for more information. Having in mind the composition of a formal letter (as seen in Unit 12, Exercise 4) order the sentences below.

a Atentament.
b Em pot enviar, sisplau, informació sobre les condicions de treball.
c He llegit el seu anunci al diari, que ofereix una plaça de ...
d També voldria saber l'horari i el sou.
e Benvolgut senyor.

f Espero la seva resposta ben aviat.

g M'ha semblat que és una feina que em pot interessar.

Reading

A bookshop manager has left a note for her sales assistant, giving some instructions. You will observe how the order of tasks is clearly expressed through the use of 'temporal connectors': **abans de, primer de tot**, etc.

Marcel,

Abans de començar a ordenar els llibres, recorda que primer de tot has d'engegar els ordinadors de la botiga. Llavors has d'etiquetar els nous exemplars, els preus són al calaix del despatx. Tot seguit s'ha de trucar a la distribuïdora i encarregar les obres que els clients ens han demanat. Finalment, pensa també que has de connectar la caixa! Arribaré a mig matí. Truca'm si hi ha algun problema.

Clàudia

Exercise 10

1 Identify all the different ways of saying what has to be done in the Reading passage, and then convert them into direct commands (imperatives) using the **tu** form. Note that there is already one verb in the imperative, **truca'm**.

2 List the 'temporal connectors' (**abans de**, etc.).

Exercise 11

Taking as a model the Reading text, write a note from a teacher giving instructions to his/her students. Cover all the indications in the list below, alternating between imperatives and **haver de**. You will find that the use of some connectors will make your instructions clearer.

- corregir els exercicis de la setmana passada.
- agafar el llibre de Ciències i obrir-lo a la pàgina 125.
- copiar els dos primers paràgrafs i respondre a les preguntes.
- anar al laboratori i acabar l'experiment.
- escriure els resultats a la llibreta.
- deixar les llibretes al meu despatx.

▶ Exercise 12

Listen to the radio news bulletin and then answer the questions. The main subject is the recent rise in unemployment, **la pujada de l'atur**.

1 Quines són les causes principals de la pujada de l'atur?
2 Quins sectors són els més perjudicats?
3 Quines mesures vol adoptar el govern?
4 En què consisteix aquest pla?
5 Què opina un dels aturats sobre el pla?
6 Segons les previsions oficials, en quin percentatge baixarà l'atur?

Grammar

E The present subjunctive of regular verbs

For the three regular conjugations the present subjunctive is formed as follows:

parl-ar	**perd-re**	**dorm-ir**
parl-i	perd-i	dorm-i
parl-is	perd-is	dorm-is
parl-i	perd-i	dorm-i
parl-em	perd-em	dorm-im
parl-eu	perd-eu	dorm-iu
parl-in	perd-in	dorm-in

Note that the forms of the first and second person plural coincide in the present indicative and subjunctive. 'Inceptive' verbs of the third conjugation (see Unit 5, Grammar A), retain **-eix-** for the subjunctive in the parts where this appears in the present indicative. Thus for **llegir** we have **lleg-eix-i, lleg-eix-is, lleg-eix-i, llegim, llegiu, lleg-eix-in**.

15

no em trobo bé
I don't feel well

In this unit you will learn
- how to express moods and physical feelings
- how to say what is wrong with you
- how to give and listen to advice

▶1 Hauries de tranquil·litzar-te *You ought to calm down*

Montse has gone to visit the doctor (**el metge / la metgessa de capçalera**), because she doesn't feel very well.

Metgessa Hola, Montse, bon dia. Seu aquí. Bé, què tens? Què et passa?

Montse Darrerament no em trobo massa bé. Tinc mal de cap, sobretot aquí, a sobre dels ulls, i vaig estar uns dies amb mal de ventre i vòmits i encara em sento com marejada. Però no he tingut pas febre.

Metgessa Que has estat molt enfeinada o desmotivada, potser?

Montse Sí, estic buscant feina i això em fa estar nerviosa. Fins i tot algunes nits no he pogut dormir gens.

Metgessa Déu n'hi do! I t'has pres algun medicament?

Montse No, només unes infusions.

Metgessa I el menjar?

Montse La veritat és que no tinc gaire gana i molts dies no tinc ni temps per a menjar com cal.

Metgessa Seguir una bona dieta és importantíssim. Hauries de trobar temps per als àpats i, el més important de tot, no hauries d'agafar-te les coses tan a pit. Relaxa't. Fas esport?

Montse No, en aquests moments no.

Metgessa Jo de tu dedicaria com a mínim una hora diària a fer exercici. Cal mantenir-se en forma!

Montse I pel mal de cap?

Metgessa Et receptaré un medicament per treure el dolor, però sobretot no prenguis més de tres pastilles al dia. Segur que d'aquí a uns dies ja et trobaràs més bé.

seure (irregular)	*to sit down*
darrerament	*lately*
el mal de cap/ventre	*headache/stomach ache*
l'ull (m.)	*eye*
estar marejat/-da	*to feel sick*
tenir febre	*to have a temperature*
enfeinat/-da	*busy*
desmotivat/-da	*dispirited*
em fa estar	*makes me feel*
fins i tot	*even*
Déu n'hi do!	*emphatic affirmation or agreement*
el medicament	*medicine*

*caldre (irregular)	to be necessary, to be right
*hauries de ...	you ought to ...
agafar les coses a pit	to take things to heart
jo de tu	if I were you
com a mínim	at least
receptar	to prescribe
el dolor	pain
*no prenguis	see Grammar D
la pastilla	tablet, pill

Exercise 1

Veritat o fals?

1 La Montse té un problema als ulls.
2 Ella ha passat algunes nits sense dormir bé.
3 La metgessa li aconsella menjar de manera regular.
4 També li recomana que faci esport cada dia.

Exercise 2

Go through the dialogue again and then act it out, preferably with a partner.

◼ The Catalan stereotype

Because of the way Catalan society has evolved in the modern era the people have earned a reputation for thrift and economic prudence. This image, especially when viewed from other parts of Spain, has turned into the stereotype or caricature of the money-conscious, niggardly Catalan, with as much basis in truth as the corresponding stereotype of the 'penny-pinching' Scot within the British tradition. The subject occurs in many popular expressions and jokes like the following one:

Què fa un català quan té fred? – S'apropa a una estufa.
I quan té molt, molt i molt fred? – L'encén!

▶2 Li fa mal l'esquena *His back hurts*

Tim notices that Anna is concerned.

Tim Què et passa Anna, et veig preocupada?
Anna És que han ingressat a l'hospital el meu germà.
Tim Què li ha passat?

Anna	Ha tingut un accident a la feina. S'ha trencat una cama i s'ha donat un cop fort a l'esquena.
Tim	I què han dit els metges?
Anna	Diuen que no és greu, però li caldrà fer repòs i bondat durant uns mesos. Està tan desanimat que no vol parlar amb ningú. A més l'esquena li fa mal i pateix molt. I per postres, la meva cunyada té la grip i el meu nebot està refredat. Estan tots ben fotuts!

ingressar	*(here) to admit to hospital*
trencar	*to break*
la cama	*leg*
el cop	*blow, knock*
l'esquena (f.)	*back*
greu	*serious*
el repòs	*rest*
fer bondat	*to behave oneself*
desanimat/-da	*discouraged, downhearted*
fer mal	*to hurt*
patir	*to suffer*
per postres	*on top (of all that)*
la grip	*influenza*
el nebot/la neboda	*nephew/niece*
estar refredat/-da	*to have a cold*
fotut/-da	*in a (bloody) bad way* (colloquial)

▶ Exercise 3

Remember how words run together, often affecting pronunciation at the points of contact. Listen again to these examples from Dialogue 1 observing that the main effects are assimilation (alteration) in Column 1 and elision (suppression) in Column 2.

tinc mal de cap
a sobre dels ulls
i vaig estar
uns dies amb mal
només unes infusions
seguir una bona dieta

què et passa?
no em trobo massa bé
això em fa estar
una hora
treure el dolor

Exercise 4

Select the corresponding word from the box below for each of the pointers in the drawings.

El cos humà

La cara humana

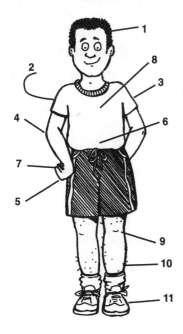

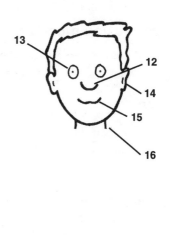

la boca, el braç, l'orella, el colze, el nas, el peu, el coll, el pit, la cama, l'esquena, el cap, l'ull, la mà, el dit, el genoll, el ventre

Key words and phrases

Saying what is wrong with you

Què et passa? Què tens?	*What is wrong with you?*
Com estàs? Com et trobes?	*How are you? How do you feel?*
Em trobo fatal.	*I feel rubbish.*
No em trobo gaire bé.	*I don't feel very well.*
Tinc mal de cap/d'estómac.	*I have a headache/stomach ache.*

Tinc mal de coll/queixal.	I have a sore throat/ toothache.
Tinc febre.	I am feverish./I have a temperature.
Tinc la grip./Estic refredat/-da.	I have flu./I have a cold.

Expressing moods and physical feelings

with **estar**	to be		with **tenir**	to be/feel
enfadat/-da	*angry*		set	*thirsty*
content/-a	*pleased/happy*		gana	*hungry*
trist/-a	*sad*		fred	*cold*
sorprès/-esa	*surprised*		calor	*hot*
preocupat/-da	*worried*		mandra	*lazy*
de bon/mal humor	*in a good/ bad mood*		son	*sleepy*

Giving advice

Hauries de descansar/ menjar més.	*You should rest/eat more.*
Cal dormir/descansar més.	*Sleep/more rest is what's needed.*
Jo de tu aniria a dormir.	*If I were you I would go to bed.*
Hauries de fer llit.	*You ought to stay in bed.*

Grammar

A Possession

Dialogue 2 illustrates how things done to oneself or to another person involve, in Catalan, use of a reflexive or indirect object pronoun rather than a possessive adjective: **S'ha trencat una cama i s'ha donat un cop fort a l'esquena** *He has broken his leg and received a bad knock to his back.* Here are some more examples:

Li van agafar la pistola.	*They took his gun (away from him).*
Els va lligar les mans.	*He tied their hands.*
Treu-te els mitjons.	*Take off your socks.*

Note also that English often uses a possessive where in Catalan possession is understood and not made explicit: **On tinc la cartera?** *Where is my wallet?*; **Ha perdut el passaport** *S/he has lost her/his passport.*

B The conditional tense

You were already introduced to **voldria** *I would like* in earlier units and now you are shown the full conjugation of the conditional tense in Catalan. The stem used for the conditional is, in every case, that used for the future tense (based on the infinitive). The set of endings for the conditional are likewise the same for every class of verb.

parl-ar	**permet-re**	**sent-ir**
parlar-ia	permetr-ia	sentir-ia
parlar-ies	permetr-ies	sentir-ies
parlar-ia	permetr-ia	sentir-ia
parlar-íem	permetr-íem	sentir-íem
parlar-íeu	permetr-íeu	sentir-íeu
parlar-ien	permetr-ien	sentir-ien

In the conditional, irregular verbs behave as they do for the future tense: **anar > anir-ia**, etc., **venir > vindr-ia**, etc.

Exercise 5

Complete the following sentences by placing the verbs in brackets in the conditional tense.

1 Jo _____ (deixar) de treballar, però no puc.
2 Hem pensat que l'August _____ (poder) guanyar el partit.
3 Elles van decidir que no _____ (canviar) de feina.
4 El metge li va dir que bevent tant _____ (tenir) una greu malaltia.
5 Nosaltres _____ (fer) tantes coses amb més temps!
6 Ens va dir que la reunió _____ (durar) més de dues hores.

▶ Exercise 6

Fill in the following dialogues with *verb + adjective* or *verb + noun* expressing a recommendation in the conditional tense. The first one has been done for you.

1 Què et passa, Teresa?
  a **Estic preocupada.** (*to be worried*)
  b Jo de tu **no em preocuparia.** (*not to worry*)

2 Què tens, Imma?
   a _____.   (*to be cold*)
   b Jo de tu _____.   (*to put on a pullover*)

3 Què tens, Joan Carles?
   a _____.   (*to be hungry*)
   b Jo de tu _____.   (*to eat something*)

4 Què et passa, Lídia?
   a _____.   (*to be sleepy*)
   b Jo de tu _____.   (*to go to bed*)

5 Què et passa, Jordi?
   a _____.   (*to be nervous*)
   b Jo de tu _____.   (*to relax*)

6 Què et passa, Marc?
   a _____.   (*to be thirsty*)
   b Jo de tu _____.   (*to drink water*)

Grammar

C *Cal* + infinitive

As well as **haver de** expressing obligation, see Unit 14, Grammar A, there is also **caldre**, an impersonal verb meaning *to be necessary*, often translating *must*. As its subject is *it* we use only the third-person form **cal** (occasionally plural **calen**). This can introduce either an infinitive or a noun: **No cal cridar** *There is no need to shout*, **Ha calgut una fortuna per a comprar allò** *A fortune was necessary to buy that*. The person on whom the obligation falls can be expressed with the indirect-object pronoun:

M'ha calgut corregir els errors.	*I have had to correct the mistakes.*
Si et calen consells, hauries de parlar amb ...	*If you need advice, you should speak to ...*

You may also encounter another construction with **caldre**, where it is followed not by the infinitive but by **que** introducing a verb in the subjunctive mood conjugated in Unit 14 Grammar E: **No cal que t'ho repeteixi** *There is no need for me to repeat it (to you)*. Compare also **recomana que faci** ... in Exercise 1. Further mention is made of the subjunctive in the next section.

D Negative commands and more on the subjunctive mood

Revise how commands are given in Catalan using the imperative (see Unit 9). Negative commands for **tu** (*Don't …*) are expressed in forms with different endings.

1st conj. **-ar**	*2nd conj.* **-re/-er**	*3rd conj.* **-ir**
crida/no cridis	promet/no prometis	dorm/no dormis

These negative commands for **tu, vosaltres** and **vostè(s)** coincide with the form of the subjunctive mentioned in Grammar C and seen in Unit 14. In fact for **vostè(s)** both direct and negative commands coincide in taking this form **truqui(n)/no truqui(n), vingui(n)/no vingui(n), vagi(n)/no vagi(n)**. The verb lists in our **Reference tables** show you the present subjunctive forms for all verbs included there. From these you can take the negative imperative as required. This will also help you to get used to meeting subjunctives in other areas of use. Here are a few examples to open up this subject:

Volem que ens escriguis sovint.	*We want you to write to us often.*
No crec que siguin tan inútils.	*I don't think they are so useless.*
T'estimo, encara que sembli mentida.	*I love you, even if it does not seem so.*

In the majority of cases you find the subjunctive appearing after **que** and certain other linking words (conjunctions). The components **que ens escriguis, que siguin, encara que sembli** above are called subordinate clauses, and it is in certain types of subordinate clause that the subjunctive appears:

1 when the subject of the subordinate clause is different from that of the main clause (like **Volem, No crec** and **T'estimo**, above).
2 when the meaning of the subordinate verb is affected by an idea of influence, subjective response or uncertainty conveyed by the main verb.

It can be helpful to consider that the subjunctive comunicates the idea that the action of a subordinate clause is not viewed by the speaker as a fact or reality, but rather as an uncertainty, a hypothesis or as a future possibility. This latter case is clearly seen in expressions of future time:

Quan vinguis ja en parlarem. *When you come we'll discuss*
it.

Així que ho sàpigues, m'ho *As soon as you find out you'll*
diràs, oi? *tell me, won't you?*

Exercise 7

Transform these commands into negative ones. Note that **més**
has to be changed into **tan**.

Example:

Parla més fort. No parlis tan fort.

1 Aprèn anglès.
2 Tanca la finestra.
3 Condueix més ràpid.
4 Escriu més a poc a poc.
5 Truca al metge.
6 Pren aquest medicament.

Grammar

E *Tant* vs. *tan*

As the final **-t** of **tant** *so much* is silent, this word is pronounced
exactly like **tan** *so*. However, in writing you must be careful to
make the spelling distinction: **No vagis tan de pressa** *Don't go*
so quickly; **No corris tant** *Don't run so (much / fast)*. Notice
that **tan** precedes what is qualified, while **tant** can stand alone
or agrees in number and gender with the noun it qualifies.

▶ Exercise 8

You are going to hear a conversation in a surgery between
Paula, who is ill, and a doctor. As you listen to the recording
choose the correct answer.

1 La Paula fa uns dies que té ...
    a mal de coll i mal de cap.
    b mal de coll i mal d'orelles.

2 El metge creu que la Paula ...
    a s'ha refredat.
    b té la grip.

3 Quina és la causa de la malaltia?
   a La Paula va passar fred.
   b Va dormir a fora tota la nit.

4 El metge li aconsella:
   a Que es quedi a casa i s'abrigui.
   b Que s'abrigui i prengui el medicament.

5 Quantes pastilles pot prendre al dia?
   a Tres aspirines i algunes pastilles pel coll.
   b Tres pastilles pel coll i una aspirina.

Reading

Look at these responses from a health survey. These are the reasons (**els motius, la motivació**) why eight people have given up smoking.

a Voler estalviar diners em va ajudar a prendre la decisió.
b El meu pare va morir d'un càncer de pulmó.
c Una pneumonia em va apartar del tabac.
d Les campanyes antitabac em van influir molt.
e Vaig decidir que ja era hora de cuidar la meva salut.
f Vaig tenir problemes durant l'embaràs.
g El tabac és el pitjor si t'agrada fer esport.
h Vaig deixar-ho quan vaig quedar embarassada.

Generalitat de Catalunya
**Departament de Sanitat
i Seguretat Social**

Exercise 9

Answer the following questions, based on the Reading passage above.

1 Quins motius del text anterior estan relacionats amb una malaltia?
2 Quins altres estan relacionats amb l'embaràs?
3 Quins creus que són el resultat de voler millorar la qualitat de vida?
4 Com es tradueix al català *to look after one's health*?

16

això no era així

it wasn't like this before

In this unit you will learn
- how to discuss how things used to be
- how to ask for and give opinions

Before you start

In this unit you are introduced to the imperfect tense. This is used to express continuity or repetition in the past, often corresponding to *was/were -ing* or *used to ...* . The imperfect tense considers states or events in terms of duration, without specific reference to beginning or end, and is thus the tense of description. Because the simple English past (*did*, *went*, *looked*, etc.) can perform both this function and that of expressing a simple completed action, you need to consider which aspect is meant when talking about the past. Often the presence of a particular adverb (or adverbial phrase/clause) will make the distinction very clear; compare **Ho vam fer ahir** *We did it yesterday* or **Ho hem fet aquest matí** *We did it this morning*, with **Ho fèiem sovint quan érem joves** *We did it often when we were young*. When no clues of this kind are given, your choice of tense will be determined by implications of context. A good bit of advice, if you are hesitating between use of the imperfect or perfect/preterite, is to ask yourself what kind of adverb(ial) could be inserted that would make sense in line with the meaning you wish to convey: **Ho va dir** (e.g. **al començament del discurs**), **però nosaltres no escoltàvem** *He said so, but we weren't listening* compared with **Ho deia** (e.g. **sempre**), **però nosaltres no ho crèiem** *He (always) said so, but we didn't believe it*. Another tip is to think that the imperfect tense often expresses the 'background' (description, states occurring, things going on) to single completed actions:

Brillava el sol i vaig decidir de fer un tomb.	*The sun was shining and I decided to take a stroll.*
Quan vam arribar-hi, en Miquel ja tocava.	*When we arrived Miquel was already playing.*
Jo me n'anava quan va sonar el timbre.	*I was just leaving when the bell rang.*

Now consider how the choice of tense itself conveys the aspect of 'past-ness' intended, by comparing:

Ho va pagar tot amb xecs de viatge.	*He paid for everything with travellers' cheques* (on one particular occasion).
Ho pagava tot ...	*He paid* (i.e. used to pay) ...
Era difícil convènce'l.	*It was hard to convince him* (description of the other's attitude).
Va ser difícil convènce'l.	*It was hard to convince him* (but we did succeed).

Before beginning work in this unit, have a careful look at Grammar A, which explains how the imperfect tense is formed.

▶1 **Els mobles eren vells** *The furniture was old*

Tim is visiting a relative (**un parent**), who lives in the recently restored family home, an old farmhouse (**una masia**), where he hasn't been for a long time.

Tim	Quin canvi!
Parent	Què, t'agrada? L'any passat vam fer obres i vam canviar moltes coses. Tot era molt vell: les portes i finestres, i també la majoria dels mobles.
Tim	Doncs ara es veu una casa molt moderna. La veritat és que m'agrada molt més que abans.
Parent	Vam decidir arreglar les habitacions de dalt i redistribuir-les. Les parets estaven a punt de caure i el sostre també estava força malament. Ara al terra hi ha parquet i totes les habitacions tenen calefacció.
Tim	I aquell armari tan antic, on és?
Parent	Encara te'n recordes? El vam vendre a un antiquari. L'habitació és completament nova: llit nou, calaixera, butaca, mirall, i fins i tot el matalàs. Què te'n sembla del color de les parets? Ens hi hem gastat un dineral!
Tim	Això rai, tu ja tens calés!
Parent	No em facis pas riure! ... Vine, que t'ensenyaré la terrassa: hi he posat unes escales que donen directament al jardí ...
Tim	Carai, no sabia que tenies tants arbres com la veïna del costat! Abans no es tenia tan bona vista des d'aquí dalt.
Parent	Per cert, et quedes a dinar?
Tim	Prou! Et pensaves que venia només a veure la casa?
Parent	Doncs au, ajuda'm a parar la taula. Posa-hi els gots i els tovallons. Els coberts són al primer calaix.

l'obra (f.)	*building work*
la majoria	*majority*
arreglar	*to fix, to repair, to sort out*
redistribuir	*rearrange*
la paret	*wall*
estar a punt de ...	*to be about to ...*
el sostre	*ceiling*
estar malament	*to be in a bad way*

el terra	*floor*
la calefacció	*heating*
antic/-ga	*ancient*
l'antiquari (m.)	*antique dealer*
la calaixera	*chest of drawers*
la butaca	*armchair*
el matalàs	*mattress*
un dineral	*piles of money*
això rai!	*no problem!*
els calés	*money* (colloquial)
riure (irregular)	*to laugh*
la terrassa	*large balcony area*
l'escala (f.)	*staircase, stairs*
carai!	*gosh!*
veí/-ïna	*neighbour(ing)*
prou!	*(here) of course!*
au!	*come on!*
parar la taula	*to lay the table*
el got	*glass*
el tovalló	*serviette, napkin*
els coberts	*cutlery*
la forquilla	*fork*
la cullera	*spoon*
el ganivet	*knife*

▶2 No hi estic d'acord *I don't agree*

Over a drink before their meal, they talk about things in general.

Parent Dijous, quan em va trucar la teva mare, m'explicava que ja has trobat feina.

Tim Sí, però pis encara no! De moment m'estic a casa d'una amiga.

Parent Ja t'ho deia jo, que tornaries a Catalunya!

Tim Sí però no m'esperava trobar els lloguers tan cars. A la ciutat serà difícil quedar-s'hi. Ara estic buscant un estudi o un piset als afores de Barcelona, en algun poble potser. De moment no em vull pas gastar més d'una tercera part del sou en el lloguer.

Parent No vinguis pas al poble! Des que han decidit construir una nova autovia que passarà just a un quilòmetre d'aquí s'ha disparat l'especulació. Els grups ecologistes ja s'hi han oposat, perquè sembla ser que la carretera travessarà una zona d'interès natural, però el govern diu que endavant. Em sembla una bestiesa, no hi estic gens d'acord, tan tranquils que estàvem abans al poble.

Tim I en general, la gent del poble, què en pensa?

Parent Depèn. Els més vells, aquells que han viscut tota la vida aquí, estan en contra de tots aquests canvis recents, no els agraden gens. Els joves i els que fa poc que viuen aquí ho veuen diferent. Els agrada més tenir bones comunicacions i 'qualitat de vida' que no pas viure una mica aïllats però en pau. És com vivíem abans, saps? ... El tema surt sovint als mitjans de comunicació i se'n parla molt, però jo no sé com acabarà ...

esperar-se	*to expect*
el piset	*small flat*
els afores	*outskirts*
des que ...	*since ...*
l'autovia (f.)	*dual carriageway*
disparar-se	*to rocket (prices)*
oposar-se	*to object*
la bestiesa	*madness, stupid thing*
estar d'acord	*to agree*
estar en contra	*to disagree*
*que no pas	*than*
aïllat/-da	*isolated*
la pau	*peace*
el tema	*subject*
els mitjans de comunicació	*media*

Exercise 1

Read both dialogues again and act them out, preferably with a partner.

Exercise 2

Answer the following questions.

1 Per què el parent d'en Tim va fer obres a casa seva?
2 Què hi falta en una de les habitacions de la casa?
3 De què se sorprèn en Tim quan veu el jardí?
4 Què és el que, segons en Tim, ha canviat de la vida a Catalunya?

5 Què opina el parent d'en Tim de la construcció de la nova autovia?

i The media

Everybody living in the Catalan-speaking areas has access to information provided through media operating in Catalan: the television channels **TV3**, **K3** and **33**, are controlled by the autonomous government of Catalonia, **La Generalitat**, as is **Catalunya Ràdio**. These services can be received in the Balearics and the País Valencià, each community also having its own broadcasting institutions with a proportion of programmes in Catalan. The Rosselló has its own **Ràdio Arrels** which broadcasts exclusively in Catalan. There is also a territory-wide press presence, in the shape of the daily *Avui* and the Catalan-language edition of *El Periódico*, both from Barcelona, and the weekly magazine *El Temps*, from Valencia, together with a new sports paper *El 9*. Other features of this panorama are strong competition from a persuasive and powerful Spanish-language (and, in the Rosselló, French-language) media presence, together with a quite marked regional diversity. There are some important local daily newspapers (*El Punt*, *Regió 7*, *Segre*, *Diari d'Andorra* or *Diari de Balears*). Local press and local radio stations are predominantly in Catalan.

Key words and phrases

Asking for and giving your opinion (2)

Vostè creu/pensa que …?	*Do you believe/think that …?*
Jo crec que sí/que no.	*I think so/don't think so.*
Sí que ho crec./No, no ho crec.	*I do believe it./No, I don't believe it.*
Què opina/pensa de …?/ Què li sembla …?	*What do you think of …?*
No hi estic (gens) d'acord./ Hi estic en contra.	*I don't agree (at all)./I am against it.*
Hi estic (completament) a favor./Hi estic d'acord.	*I am (completely) in favour./ I agree.*
Depèn./Segons …	*It depends./According to …*
Tens raó.	*You are right.*

Describing things in the past

Abans hi havia un jardí.	*Previously there was a garden.*
Quan era petita vivia en una casa de pagès.	*When I was young, I used to live in a farmhouse.*
L'any passat anava a classes de basc.	*Last year I attended Basque lessons.*

Comparing things (2)

Abans el poble m'agradava més que (no/no pas) ara.	*Before, I liked the village more than I do now.*
El meu pis té tantes habitacions com el teu	*My flat has as many rooms as yours.*

Grammar

A The imperfect tense

This tense is formed for the three conjugations as follows:

parl-ar	**perd-re**	**dorm-ir**
parl-ava	perd-ia	dorm-ia
parl-aves	perd-ies	dorm-ies
parl-ava	perd-ia	dorm-ia
parl-àvem	perd-íem	dorm-íem
parl-àveu	perd-íeu	dorm-íeu
parl-aven	perd-ien	dorm-ien

The imperfect of third-conjugation 'inceptive' verbs (like **patir > pateixo**, etc. seen in Unit 5) is formed as for **dormir: patia, paties, patia, patíem, patíeu, patien**.

Relatively few verbs are irregular in the imperfect if you understand that the stem for this tense is the same as that of the first-person plural of the present indicative. Thus **prendre** (**pren-em**) has **pren-ia**, etc; **beure** and **deure** (**bev-em, dev-em**) have **bevia** and **devia**, etc; **escriure** and **viure** (**escriv-im, viv-im**) have **escrivia, vivia**, etc. **Tenir, venir** and **anar** are quite straightforward (**tenia, venia, anava**).

The general pattern for this tense is for the stress to fall upon the ending in all parts. There are, however, some exceptions which are frequently-used verbs whose imperfect forms have the stress on the irregular stem, as for **dir: deia, deies, deia, dèiem, dèieu, deien**.

caure	> queia	fer	> feia	seure	> seia
creure	> creia	riure	> reia	treure	> treia
dur	> duia	ser	> era	veure	> veia

Note finally how verbs like **conduir** require a diaeresis (**ï**) in some parts, consistent with the stress on the **i** of the ending: **conduïa, conduïes, conduïa (conduíem, conduíeu) conduïen.**

Exercise 3

Josep Mª Mir has been retired since 2000. He explains where he used to live while he was an employee, comparing it with how he lives now. Place a correct verb in each gap (choosing between the imperfect tense and the present).

Quan vaig començar a treballar _____ **1** (tenir) 14 anys i vaig deixar l'escola per entrar d'aprenent de pintor, perquè a casa meva no _____ **2** (haver-hi) diners i _____ **3** (necessitar) menjar. _____ **4** (ser) els anys de la postguerra. La gent _____ **5** (viure) com _____ **6** (poder). Els de la meva generació ara _____ **7** (estar) tots retirats i tenen de tot. De petit, cada Nadal els nostres pares ens _____ **8** (regalar) dues taronges i als 15 anys em vaig comprar la meva primera bicicleta. _____ **9** (ser) groga i els meus germans sempre la _____ **10** (voler) agafar. Jo de jove _____ **11** (treballar) fins a 12 hores diàries i avui dia, en canvi, _____ **12** (passar-se) 12 hores sense fer res.

Exercise 4

Now it is your turn. Write a short paragraph from your own experience on how things used to be when you were younger, comparing the situation then with the present.

Reading

Read this opening extract from a short story by a distinguished contemporary author.

Als límits del fricandó

Va trucar per dir-me que volia parlar amb mi. D'entrada, no em va agradar gens. El dia que van acomiadar-me de l'empresa, el gerent també *volia* parlar amb mi. I quan va morir el pare, el meu oncle *havia* de parlar amb mi. Vaig empassar-me els dubtes, la saliva i la por, i vam quedar de trobar-nos en un d'aquests bars blancs que s'han posat de moda.

Ella va ser estranyament puntual. Duia un vestit de color blau cel i ulleres de sol. Estava nerviosa. Va demanar un entrepà molt estrany de pernil dolç i pinya, i una tònica. No havia dinat. Ho va dir de manera que jo entengués que no havia tingut gana perquè estava inquieta, desesperada o trista. Involuntàriament, vaig vessar la Coca-Cola i li vaig tacar el vestit. Una vella de la taula del costat va comentar-nos que les taques de Coca-Cola no marxaven amb res, però el cambrer ens va assegurar que la vella mentia i que, amb una mica d'aigua, marxarien de seguida.

Sergi Pàmies, *T'hauria de caure la cara de vergonya* (Barcelona: Quaderns Crema, 1986).

Exercise 5
Study carefully the tenses of all the verbs in the text above (**entengués** in the second paragraph is the imperfect subjunctive of **entendre**, meaning *so that I should understand*). List all the verbs in the preterite and imperfect tenses. Translate the text into English. Then, some hours later or next day, translate your version back into Catalan. Don't expect this version of yours to coincide exactly with the Catalan original. You will learn a lot from working 'both ways'.

Exercise 6
For further practice, rewrite the text as though the events in the story occurred *today* (beginning **Ha trucat per dir-me que volia** …). Pay careful attention to pronouns combining with verbs.

Grammar

B Review of *ser* and *estar*
Refer back, first, to comments made on these two verbs in Unit 12. We now consolidate understanding of how **ser** and **estar** convey different senses of *to be*.

Ser expresses:

1 identity or belonging to an identifiable set:
   Sóc en Pere. Sóc metge. La camisa és de cotó. Aquesta moto és del veí.

2 location:
   El cotxe és al garatge. Banyoles és a prop de Girona.

3 time:

> Són les vuit i deu minuts. La reunió serà a les tres en punt.

A distinction is made between mere location (**ser**) and location extended over time, when **estar** has the implication of *to stay*:

Aviat serem a Blanes: hi estarem dues hores.	*We will soon be in Blanes: we'll be (=stay) there for two hours.*
Estigues a la plaça fins que jo hi sigui.	*Stay in the square until I'm there.*

Remember also **estar-se** meaning *to reside*, as practised in Unit 2.

Estar is used with adverbs or with phrases which do not indicate location (and are not **de** phrases like those in **1** above).

Com estàs? – Estic molt bé.	*How are you? – I am fine.*
Això no està bé.	*This is not right.*
Avui el peix no està a l'abast de tothom.	*These days not everybody can afford fish.*
Està en coma a la clínica.	*She is in a coma at the clinic.*
Jo hi estic a favor/en contra.	*I'm for/against it.*

You have looked at different uses of **ser** and **estar** with adjectives in Unit 12. Generally **estar** goes with adjectives denoting temporary or changeable states: as in the Reading passage, **estava nerviosa, estava inquieta** … When the subject is inanimate, however, **ser** is preferred in cases like: **l'aigua és bruta, la sopa era freda, el raïm ja és madur.**

There is some fluctuation in this area among native speakers, and the matter is made more complicated by the fact that it overlaps with 'passive' constructions of the kind: **Va ser educada per una tia seva** *She was brought up by an aunt of hers* (passive equivalent of **La va educar una tia seva**).

In general we can say that, accompanying past participles, **ser** expresses action being done (the passive constructions) while **estar** indicates state resulting from such action.

Exercise 7

Fill in the blanks with a correct conjugated verb, **ser** or **estar**.

1 A l'estiu, a la piscina s'hi _____ més bé.
2 No sé on _____ les sabates.
3 L'arròs _____ massa salat.
4 Ja _____ aquí, ja he arribat!

5 L'enciclopèdia _____ (imperfect) al prestatge.
6 Vam _____ un mes fora de casa.
7 El nou model ja _____ a la venda.

Grammar

C Comparison (2)

You were introduced to basic constructions of comparison in Unit 7 and you should revise that section for work in the present unit. *Than* in comparisons often appears as **que no** or even **que no pas**. The **no (pas)** element is optional for introducing simple terms of comparison:

És millor ara que (no/no pas) abans.
Aquest cotxe és més ràpid que (no/no pas) el nostre.

D Suffixes

In Dialogue 2 use of the word **piset,** is an example of a very common feature of colloquial Catalan: the use of an ending element (suffix) to modify the meaning of a noun or adjective: see Unit 6, Grammar D. Here we have **pis** *flat,* modified by the diminutive suffix **-et.** As well as denoting smallness of size, this suffix (**-et/-eta** with both adjectives and nouns) also carries a note of intimacy or favourable disposition in the speaker. Here are a couple more examples, where the translation expresses something of the nuances conveyed in Catalan:

Espera't un momentet.   *Wait just a moment.*
una truiteta crueta per dins   *a little omelette, nice and*
    i ben rosseta per fora   *runny inside and nicely*
                                     browned on the outside

Catalan is rich in suffixes of this kind and here we can only mention a few of the most common which you are likely to encounter in everyday situations:

- **-ó/-ona** (diminutive with favourable note): **un cafetó** *a nice little cup of coffee*;
- **-às/-assa** (augmentative): **una manassa** *a big, huge hand*;
- **-ot/-ta** (strongly depreciative): **paraulotes ben fortes** *very strong swear words.*

▶ Exercise 8

Imagine you are visiting a property agency and you want to talk about one of the flats you have just seen. Complete your part in the dialogue.

Agent Bona tarda. Què, va anar a veure el pis del barri Les Forestes.

Tu (1) (*Say 'yes', and say you were there all afternoon waiting for the owner,* (**el propietari**).)

Agent Què li va passar?

Tu (2) (*Say he didn't remember he had an appointment with you.*)

Agent I el pis, què li va semblar?

Tu (3) (*Say this flat is better situated than the house you saw on Monday, but the flat is much older.*)

Agent I l'interior?

Tu (4) (*Say some doors didn't close properly and the parquet in the living room was dirty. Add you thought the flat had two bathrooms but you found that it has only one.*)

Agent La cuina és molt gran i equipada, oi?

Tu (5) (*Say you agree with that but the window was really small.*)

Agent Vol veure'n algun altre?

Tu (6) (*Say yes; you would like to visit a two-room flat, with parking included in the price, with a large terrace and central heating.*)

▶ Exercise 9

Listen to a business conversation between Aleix Gasau and Imma Comas. Then, according to what you hear, match the sentences on the right with those on the left:

1 Imma Comas considera que	**a** aquest no és un bon moment.
2 Aleix Gasau proposa	**b** hauran de parlar-ne amb el president.
3 Comas diu que	**c** d'obrir les vendes a tot el món.
4 Gasau diu que	**d** el negoci anava millor abans.

▶ Exercise 10

Now listen again and tick the phrases you hear.

1 Asking for opinions
   a Què en penses …?
   b Què et sembla …?
   c Com ho veus …?

2 Giving opinions
   a Em sembla que …
   b Des del meu punt de vista …
   c Crec que …

3 Disagreeing
   a No hi estic d'acord.
   b Perdona, però no em sembla bé.
   c Hi estic en contra.

4 Agreeing
   a Hi estic completament d'acord.
   b Tens raó.
   c Em fa molt content.

taking it further

Congratulations on completing the course. This section provides some guidance for you to consolidate the linguistic knowledge and competence you have acquired. First, there is a Catalan page on the Teach Yourself website

www.teachyourself.co.uk/tycatalantest.htm

Here you will find periodic updates of the **Taking it further** section (recommended reading, updating of URLs, etc.) together with materials for revision and self-assessment. The exercises (with key) in the **Testing yourself** component are arranged by groups of units and they focus on the key linguistic features that are integrated in the progression of the whole course. Satisfactory completion of this stage may well encourage you to consider seeking a formal qualification of proficiency in Catalan.

Formal examinations. The Institut Ramon Llull (**www.llull.com**) organizes examination and certification in Catalan for non-native speakers, recognized by the Association of Language Testers in Europe. Full details are available *via* the above web address. Additional useful information on language study, bibliography, etc. can be found at **http://cultura.gencat.net/llengcat/abast/index.htm**.

Works for further language study and reference

In English

Alan Yates & Toni Ibarz, *A Catalan Handbook: working with 'Digui, digui'* (Sheffield, Botifarra, 1992, with subsequent edition, Barcelona, Departament de Cultura, 1993), English-language companion to *Curs de Català per a estrangers* (Multimedia *Digui, digui* method by Mas *et al.*).

Max. W. Wheeler, Alan Yates and Nicolau Dols, *Catalan: a Comprehensive Grammar* (London, Routledge, 1999). This is a thorough and detailed reference guide to modern Catalan (covering regional diversity): an accessible and systematic description of the modern language, indispensable for advanced study. The preface provides a brief overview of the history and present-day status of the language.

In Catalan

Badia, Dolors, *Llengua Catalana. Nivell Llindar,* 3 vols, (Vic, L'Àlber, 1997).

Bennàssar, C.; Lladó, J.; Sànchez, C.; Torres, M., *Xarxa: llengua catalana 1* (Palma, Moll, 1997). A useful introduction to Balearic usage.

On the Internet

Speakcat and *A University Phrase Book*, university oriented, http://intercat.gencat.es

Phrasebooks and dictionaries

Faluba, K. & Morvay, K., *Conversation Guide: English–Catalan–Spanish* (Barcelona, Edicions de la Magrana, 1992).

English–Catalan: a University Phrasebook (Universitat de Barcelona, 1999). Available on the Internet, (see above).

Catalan Dictionary, English–Catalan/Catalan–English (London, Routledge, 1994).

Diccionari Oxford Pocket, català–anglès/anglès–català (Oxford University Press, 1994).

A number of other useful dictionaries are published by Enciclopèdia Catalana SA, details of which can be consulted at www.enciclopedia-catalana.com

Background reading

On society, culture, etc.

Robert Hughes, *Barcelona* (London, Vintage paperback, 1993).

Colm Tóibín, *Homage to Barcelona* (London, Picador paperback, 2002).

On politics

Albert Balcells, *Catalan Nationalism: Past and Present* (London, Macmillan, 1995).

Montserrat Guibernau, *Catalan Nationalism: Francoism, Transition and Democracy* (London, Routledge, 2004).

There is, unfortunately, no work currently available in English which gives a reliable account of the *Països Catalans* as a distinctive language-community, with its own history, social evolution, culture and literature. Internet searches for this perspective can be productive, e.g. vilaweb: **www.vilaweb.com**; (see below).

Catalan press and search engines

Daily newspapers: **www.avui.com, www.elperiodico.com/cat, www.vilaweb.com/elpunt**

www.vilaweb.com – This address provides a major search and directory facility for all Catalan subjects, as well as an independent electronic daily news service. Links to **www.vilaweb.com/nosaltres/**

Catalunya Ràdio on the internet: **www.catradio.es**
Televisió de Catalunya (TVC) on the internet: **www.tvcatalunya.com**, broadcasting also by satellite via TVC International, 24 hours a day.

Official web sites

www.gencat.net, web page of the **Generalitat de Catalunya.**
http://cultura.gencat.net/llengcat, specialized language site.
www.govern.ad, web page of the **Govern del Principat d'Andorra.**
www.caib.es, web page of the **Govern de les Illes Balears.**
www.gva.es, web page of the **Generalitat Valenciana.**

reference tables

1 Number and gender (basic scheme* for nouns and adjectives)

| N = noun | singular | | plural | |
A = adjective	masculine	feminine	masculine	feminine
N	senyor	senyora	senyors	senyores
A	molt	molta	molts	moltes
A	simpàtic	simpàtica	simpàtics	simpàtiques
N/A	pobre	pobra	pobres	pobres
N	cosí	cosina	cosins	cosines
A	bo	bona	bons	bones
N	amic	amiga	amics	amigues
A	casat	casada	casats	casades
A	nou	nova	nous	noves
N/A	anglès	anglesa	anglesos	angleses
A	mateix	mateixa	mateixos	mateixes
N	pis		pisos	
A	gros	grossa	grossos	grosses

N	despatx		despatxos
N	gust		gustos
A	trist	trista	tristos	tristes
A	fresc	fresca	frescos	fresques
A	roig	roja	rojos	roges
A	mig	mitja	mitjos	mitges
A	dolç	dolça	dolços	dolces
A	feliç	feliç	feliços	felices
N	dependent	dependenta	dependents	dependentes
A	calent	calenta	calents	calentes
A	vinent	vinent	vinents	vinents
A	important	important	importants	importants
A	agradable	agradable	agradables	agradables
A	lliure	lliure	lliures	lliures

*The groupings indicate the main patterns which nouns and adjectives follow as they change for number and gender.

2 Weak object pronouns: forms and functions

		singular		plural		functions
		before verb	after verb	before verb	after verb	(see opposite)
1st person		em m'	-me 'm	ens	-nos 'ns	1
2nd person		et t'	-te 't	us	-vos -us	2
3rd person	masculine	el l'	-lo 'l	els	-los 'ls	3
	feminine	la l'	-la	les	-les	4, 5
	neuter	ho	-ho			
	indirect object	li	-li	els	-los 'ls	6
	reflexive	es s'	-se 's	es s'	-se 's	7
		before verb	after verb	before verb	after verb	
adverbial		en n'	-ne 'n			8
		hi	-hi			9

1 Direct and indirect object (including reflexive use)
   Em miren. M'han vist. Vull banyar-me. Va escriure'm.
   Ens parla. Van trucar-nos. Escolta'ns.

2 Direct and indirect object (including reflexive use)
   Et miren. T'acomiades. Pots maquillar-te. Renta't.
   Us pentineu. Van abraçar-vos. Vol veure-us.

3 Animate and inanimate direct object
   El paga. L'ha reservada. La neteja. Envia'l. Penso portar-lo.
   Les deu estimar. Sap escoltar-los. Espera'ls aquí.

4 Neuter direct object, standing for **això**, **allò**, or whole sentence.
   Com ho escrius? Deixa-ho allà. Ho sento. Ha d'ajudar-me
   però no ho fa mai.

5 Nominal predicate of **ser**, **estar**, **semblar**
   No és pas catalana però ho sembla.
   És professor? – Sí que ho és.

6 Indirect object (masculine and feminine)
   Li duc l'esmorzar. Li he comprat el diari. Explica-li això.
   Els volem escriure. Vaig preparar-los un pastís.
   Digue'ls la veritat.

7 Reflexive direct or indirect object
   Es vesteix. S'empassa el menjar. Volen casar-se.
   Posi's l'abric.

8 Standing for **de** + pronoun.
   De germans, no en té cap. N'han vist molts, de petits
   i de grans. Porteu forquilles de plàstic? – Si, vam
   comprar-ne un paquet. A la platja n'hi ha molts. Obre la
   nevera i treu-ne els ous.

9 Standing for any preposition except **de** + pronoun
   A la reunió, hi aniré amb cotxe. Hi estic d'acord.
   Voleu entrar-hi ara?

3 Irregular verbs

Only tenses with irregular parts are listed.

Anar, *to go*: conjugated like **anar-se'n**, without the pronouns: **vaig, vas,** etc.

Anar-se'n, *to go (away)*
    Present: me'n vaig, te'n vas, se'n va, ens n'anem, us n'aneu, se'n van
    Future: me n'aniré, te n'aniràs, se n'anirà, ens n'anirem, us n'anireu, se n'aniran
    Imperative: vés-te'n, vagi-se'n, anem-nos-en, aneu-vos-en, vagin-se'n
    Present subjunctive: me'n vagi, te'n vagis, se'n vagi, ens n'anem, us n'aneu, se'n vagin

Aprendre, *to learn*
    Gerund: **aprenent**
    Past participle: **après**
    Present: aprenc, aprens, aprèn, aprenem, apreneu, aprenen
    Imperfect: aprenia, aprenies, aprenia, apreníem, apreníeu, aprenien
    Imperative: aprèn, aprengui, aprenguem, apreneu, aprenguin
    Present subjunctive: aprengui, aprenguis, aprengui, aprenguem, aprengueu, aprenguin

Beure, *to drink*
    Gerund: **bevent**
    Past participle: **begut**
    Present: bec, beus, beu, bevem, beveu, beuen
    Imperfect: bevia, bevies, bevia, bevíem, bevíeu, bevien
    Imperative: beu, begui, beguem, beveu, beguin
    Present subjunctive: begui, beguis, begui, beguem, begueu, beguin

Caldre, *to be necessary*
    Gerund: **calent**
    Past participle: **calgut**
    Present: cal, calen
    Imperfect: calia, calien
    Present subjunctive: calgui, calguin

Caure, *to fall*
    Gerund: **caient**
    Past participle: **caigut**
    Present: caic, caus, cau, caiem, caieu, cauen

Imperfect: **queia, queies, queia, quèiem, quèieu, queien**
Imperative: **cau, caigui, caiguem, caieu, caiguin**
Present subjunctive: **caigui, caiguis, caigui, caiguem, caigueu, caiguin**

Conèixer, *to know*
Gerund: **coneixent**
Past participle: **conegut**
Present: **conec, coneixes, coneix, coneixem, coneixeu, coneixen**
Future: **coneixeré, coneixeràs, coneixerà, coneixerem, coneixereu, coneixeran**
Imperative: **coneix, conegui, coneguem, coneixeu, coneguin**
Present subjunctive: **conegui, coneguis, conegui, coneguem, conegueu, coneguin**

Córrer, *to run*
Gerund: **corrent**
Past participle: **corregut**
Present: **corro, corres, corre, correm, correu, corren**
Future: **correré, correràs, correrà, correrem, correreu, correran**
Imperative: **corre, corri, correguem (correm), correu, corrin**
Present subjunctive: **corri, corris, corri, correguem, corregueu, corrin**

Creure, *to believe*
Gerund: **creient**
Past participle: **cregut**
Present: **crec, creus, creu, creiem, creieu, creuen**
Imperfect: **creia, creies, creia, crèiem, crèieu, creien**
Imperative: **creu, cregui, creguem, creieu, creguin**
Present subjunctive: **cregui, creguis, cregui, creguem, cregueu, creguin**

Deure, *to owe, must*: conjugated like **beure**.

Dir, *to say, to tell*
Gerund: **dient**
Past participle: **dit**
Present: **dic, dius, diu, diem, dieu, diuen**
Imperfect: **deia, deies, deia, dèiem, dèieu, deien**
Imperative: **digues, digui, diguem, digueu, diguin**
Present subjunctive: **digui, diguis, digui, diguem, digueu, diguin**

Dur, *to carry, to take, to wear*
Gerund: **duent**

Past participle: **dut**

Present: **duc, duus (dus), duu (du), duem, dueu, duen**

Future: **duré, duràs, durà, durem, dureu, duran**

Imperfect: **duia, duies, duia, dúiem, dúieu, duien**

Imperative: **duu (du), dugui, duguem, dueu, duguin**

Present subjunctive: **dugui, duguis, dugui, duguem, dugueu, duguin**

Encendre, *to light* and **entendre**, *to understand*: conjugated like **aprendre**, but with acute accent in the third person singular: **encén** and **entén** and also **tu** form imperative.

Endur-se, *to take away*: conjugated like **dur**.

Escriure, *to write*

Gerund: **escrivint**

Past participle: **escrit**

Present: **escric, escrius, escriu, escrivim, escriviu, escriuen**

Imperfect: **escrivia, escrivies, escrivia, escrivíem, escrivíeu, escrivien**

Imperative: **escriu, escrigui, escriguem, escriviu, escriguin**

Present subjunctive: **escrigui, escriguis, escrigui, escriguem, escrigueu, escriguin**

Estar, *to be*

Present: **estic, estàs, està, estem, esteu, estan**

Imperative: **estigues, estigui, estiguem, estigueu, estiguin**

Present subjunctive: **estigui, estiguis, estigui, estiguem, estigueu, estiguin**

Fer, *to do, to make*

Gerund: **fent**

Past participle: **fet**

Present: **faig, fas, fa, fem, feu, fan**

Future: **faré, faràs, farà, farem, fareu, faran**

Imperfect: **feia, feies, feia, fèiem, fèieu, feien**

Imperative: **fes, faci, fem, feu, facin**

Present subjunctive: **faci, facis, faci, fem, feu, facin**

Haver, *to have* (auxiliary verb)

Past participle: **hagut**

Present: **he, has, ha, hem, heu, han**

Future: **hauré, hauràs, haurà, haurem, haureu, hauran**

Present subjunctive: **hagi, hagis, hagi, hàgim, hàgiu, hagin**

Néixer, *to be born*
Gerund: **naixent**
Past participle: **nascut**
Present: **neixo, neixes, neix, naixem, naixeu, neixen**
Future: **naixeré, naixeràs, naixerà, naixerem, naixereu, naixeran**
Imperfect: **naixia, naixies, naixia, naixíem, naixíeu, naixien**
Present subjunctive: **neixi, neixis, neixi, naixem, naixeu, neixin**

Obrir, *to open*
Past participle: **obert**
Present: **obro, obres, obre, obrim, obriu, obren**
Imperative: **obre, obri, obrim, obriu, obrin**

Ploure, *to rain*
Gerund: **plovent**
Past participle: **plogut**
Present: **plou**
Imperfect: **plovia**
Present subjunctive: **plogui**

Poder, *to be able, can*
Past participle: **pogut**
Present: **puc, pots, pot, podem, podeu, poden**
Future: **podré, podràs, podrà, podrem, podreu, podran**
Present subjunctive: **pugui, puguis, pugui, puguem, pugueu, puguin**

Prendre, *to take*: conjugated like **aprendre**, but without a
written accent in the following parts:
Past participle: **pres**
Present (3rd person singular): **pren**
Imperative (2nd person singular): **pren**

Riure, *to laugh*
Gerund: **rient**
Past participle: **rigut**
Present: **ric, rius, riu, riem, rieu, riuen**
Imperfect: **reia, reies, reia, rèiem, rèieu, reien**
Imperative: **riu, rigui, riguem, rieu, riguin**
Present subjunctive: **rigui, riguis, rigui, riguem, rigueu, riguin**

Saber, *to know*
Present: sé, saps, sap, sabem, sabeu, saben
Future: sabré, sabràs, sabrà, sabrem, sabreu, sabran
Imperative: sàpigues, sàpiga, sapiguem, sapigueu, sàpiguen
Present subjunctive: sàpiga, sàpigues, sàpiga, sapiguem,
   sapigueu, sàpiguen

Ser, *to be*
Gerund: essent / sent
Past participle: estat (colloquial sigut)
Present: sóc, ets, és, som, sou, són
Future: seré, seràs, serà, serem, sereu, seran
Imperfect: era, eres, era, érem, éreu, eren
Imperative: sigues, sigui, siguem, sigueu, siguin
Present subjunctive: sigui, siguis, sigui, siguem, sigueu,
   siguin

Seure, *to sit down*: conjugated like **creure.**

Sortir, *to go out, to leave*
Present: surto, surts, surt, sortim, sortiu, surten
Imperative: surt, surti, sortim, sortiu, surtin
Present subjuntive: surti, surtis, surti, sortim, sortiu, surtin

Tenir, *to have*
Past participle: tingut
Present: tinc, tens, té, tenim, teniu, tenen
Future: tindré, tindràs, tindrà, tindrem, tindreu, tindran
Imperative: té, tingui, tinguem, teniu (tingueu), tinguin
Present subjunctive: tingui, tinguis, tingui, tinguem, tingueu,
   tinguin

Treure, *to remove, to take out/off*
Gerund: traient
Past participle: tret
Present: trec, treus, treu, traiem, traieu, treuen
Future: trauré, trauràs, traurà, traurem, traureu, trauran
Imperfect: treia, treies, treia, trèiem, trèieu, treien
Imperative: treu, tregui, traguem, traieu, treguin
Present subjunctive: tregui, treguis, tregui, traguem, tragueu,
   treguin

Valer, *to be worth*
Past participle: valgut
Present: valc, vals, val, valem, valeu, valen
Future: valdré, valdràs, valdrà, valdrem, valdreu, valdran

Imperative: **val, valgui, valguem, valeu, valguin**
Present subjunctive: **valgui, valguis, valgui, valguem, valgueu, valguin**

Vendre, *to sell*: conjugated like **prendre** except:
Past participle: **venut**

Venir, *to come*
Past participle: **vingut**
Present: **vinc, véns, ve, venim, veniu, vénen**
Future: **vindré, vindràs, vindrà, vindrem, vindreu, vindran**
Imperative: **vine, vingui, vinguem, veniu, vinguin**
Present subjunctive: **vingui, vinguis, vingui, vinguem, vingueu, vinguin**

Veure, *to see*
Gerund: **veient**
Past participle: **vist**
Present: **veig, veus, veu, veiem, veieu, veuen**
Imperfect: **veia, veies, veia, vèiem, vèieu, veien**
Imperative: **veges, vegi, vegem, vegeu (veieu), vegin**
Present subjunctive: **vegi, vegis, vegi, vegem, vegeu, vegin**

Viure, *to live*
Gerund: **vivint**
Past participle: **viscut**
Present: **visc, vius, viu, vivim, viviu, viuen**
Imperfect: **vivia, vivies, vivia, vivíem, vivíeu, vivien**
Imperative: **viu, visqui, visquem, viviu, visquin**
Present subjunctive: **visqui, viquis, visqui, visquem, visqueu, visquin**

Voler, *to wish, to want, to like*
Past participle: **volgut**
Present: **vull, vols, vol, volem, voleu, volen**
Future: **voldré, voldràs, voldrà, voldrem, voldreu, voldran**
Imperative: **vulgues, vulgui, vulguem, vulgueu, vulguin**
Present subjunctive: **vulgui, vulguis, vulgui, vulguem, vulgueu, vulguin**

key to the exercises

The symbol * means that the answer provided is a suggestion or a possible response, and that alternatives may be equally acceptable.

Unit 1

3 1 començar 2 informe 3 companys 4 pastissos 5 bufanda 6 ganxo **4** Hola, és (vostè) el senyor Reig? / Sí, i vostè com es diu? / Jo sóc en Pere Marquès, de Lleida. I vostè, d'on és? / Sóc de Lleida també, com vostè! **5** 1b, 2c, 3d, 4a **6** 1 l'Imma 2 en/el Tomàs 3 l'Hortènsia 4 en/el Jordi 5 la Carme 6 l'Enric **7** 1 es diu 2 és 3 ets 4 sóc 5 són 6 ens diem **8** 1 escocès 2 irlandès 3 anglesa 4 italiana 5 andalús 6 espanyola 7 francès 8 japonesa **9** 1 No, jo sóc en/el (name) 2 D'on ets? 3 Adéu, (que vagi bé)!

Unit 2

1 1 false 2 false 3 true 4 true **3** 1 stressed 2 unstressed 3 stressed 4 unstressed 5 stressed 6 stressed 7 unstressed 8 unstressed **4** 1 Antoni 2 Mir Rissec 3 Carrer Major, nº 17 4 17800 5 Vilanova 6 77.91.54.23 7 38 anys 8 casat **5** a sala d'estar b menjador c cuina d bany e habitació f entrada/rebedor **6** 1a teus/vostres 2a Les teves/Les vostres 1b seus/seus 2b Les seves/Les seves 1c seus/seus 2c Les seves/Les seves 1d nostres 2d Les nostres 1e seus 2e Les seves **7** *Em dic Cristina i tinc dinou anys. Sóc de Sabadell però visc a Barcelona. Sóc/Estic soltera. El meu germà es diu Esteve i té 23 anys. El meu pare és d'Andorra (andorrà) i la meva mare d'Itàlia (italiana). **8** 1 casada 2 fill 3 germana 4 pares 5 cosí 6 Marta 7 el pare 8 oncle **9** 1 una cosina alemanya 2 un senyor espanyol/francès 3 uns nois catalans 4 les amigues angleses 5 l'amic francès/espanyol **10** 1a 2b 3b 4c

Unit 3

1 1 true 2 false 3 false 4 false **2** 1 unstressed 2 close 3 unstressed 4 open 5 close 6 close 7 close 8 unstressed 9 close 10 open **3** 1 correct 2 (93 285 31 88) 3 (973 21 68 45) 4 correct 5 (629 46 28 17) 6 (971

87 74 12) **4** 1d 2c 3b 4f 5a 6e **5** 1 Són tres quarts de nou/Són les nou menys quart 2 Són dos quarts de set/Són les sis i mitja 3 És un quart de sis/Són les cinc i quart 4 És un quart i cinc (minuts) de dotze/Són les onze i vint (minuts) 5 Són tres quarts i cinc (minuts) de quatre/Són les quatre menys deu (minuts) **6** 1 No, no hi és (ara). 2 un moment/que hi és 3 Perdoni/Em sap greu/Ho sento. 4 moment, sisplau 5 (ara) no hi és 6 de part de qui/amb qui parlo **7** 1 Sí, n'hi ha un al final (de tot) d'aquest/del carrer. 2 Sí, n'hi ha una a la primera cantonada a mà dreta. 3 Sí, n'hi ha un a la segona cantonada a l'esquerra. 4 Sí, n'hi ha una al final del carrer/a la tercera cantonada a mà dreta. **8** 4, 3, 2, 6, 1, 5 **9** 1 Surt a les deu i deu minuts (del matí). 2 Surt a les onze i vint-i-cinc minuts (un quart i deu minuts de dotze). 3 Surt a les dues i cinc minuts. 4 Arriba a tres quarts de nou (les nou menys quart). 5 Arriba a dos quarts i cinc de sis (les cinc i trenta-cinc minuts).

Unit 4

2 1 unstressed 2 unstressed 3 open 4 open 5 close 6 close 7 open 8 open 9 close 10 unstressed **3** 1e, 2c, 3a, 4b, 5f, 6d **4** 1 El restaurant obre a la una del migdia i a dos quarts de nou del vespre. 2 Al supermercat fan horari intensiu. Obren a les deu del matí i tanquen a les nou del vespre. 3 Sí, obren a les cinc (de la tarda). 4 A l'ajuntament obren a les nou (del matí) i tanquen a les tres (de la tarda). 5 A correus tanquen a les dues. **5** 1 (1.153€, mil cent cinquanta-tres euros) 2 (21€65, vint-i-un euros i seixanta-cinc cèntims) 3 (217€, dos-cents disset euros) 4 (38€19, trenta-vuit euros amb dinou cèntims) 5 (74€40, setanta-quatre euros i quaranta cèntims) **6** 1 (mel, galeta, pernil, vi, sucre) 2 (porc, pernil) 3 (coca, pa) 4 (gamba, lluç) 5 (all, tomàquet, patata) 6 (segell, tabac) 7 (coca, pastís de poma) **7** 1 A qui toca? 2 Voldria patates/peres/taronges …(f.pl.) 3 les vol 4 les vull (més aviat) 5 Alguna cosa més?/Res més? 6 vull (*any product like* préssecs, alls …) 7 en tinc/tenim 8 Quant és/quant val? 9 Són/Val 10 euros 11 cèntims **8** 1 els 2 la 3 les 4 en 5 -la 6 El 7 en 8 -lo **9** 1 Pots/venen 2 sé/puc/Saps/fan 3 Pots/tinc/tinc 4 saben/valen 5 Fem **10** 1 pastanaga-pastanagues 2 patata-patates 3 tomata-tomates 4 all-alls 5 taronja-taronges 6 pera-peres 7 raïm-raïms 8 maduixa-maduixes

Unit 5

1 1 false 2 false 3 true 4 false **3** 1 like *cat* 2 like *cat* (x 2) 3 like *cent* 4 like *cat* 5 like *cent* 6 like *cat* **4** 1 false 2 false 3 true 4 true 5 false 6 false **5** 1 llegim 2 dedueixes 3 construeixen 4 dirigiu 5 descobreixo **6** 1 plega 2 està treballant 3 Està preparant 4 mira 5 està esperant 6 van 7 vens 8 baixo 9 espera 10 es maquilla 11 es pentina 12 pateix 13 s'adona 14 està **8** a En Quim es desperta a dos quarts de set/les sis i mitja del matí. b Es lleva/s'aixeca a les set. c Es renta la cara. d Esmorza a les vuit. e Llegeix el diari. f Entra/comença a la feina a les vuit i mitja/dos quarts de nou. g Plega/surt de la feina a les sis de la tarda. h Sopa a les vuit del vespre. i Mira la televisió. j Va a dormir a les onze de la nit. // a Em desperto a les sis i mitja/dos quarts de set. b Em llevo/m'aixeco a les set. c Em rento la cara. d Esmorzo a les vuit. e Llegeixo el diari. f Començo/entro a la feina a les vuit i mitja/dos quarts de nou. g Surto/plego de la feina a les sis. h Sopo a les vuit. i Miro la televisió. j Vaig a dormir a les onze. **9*** 1 Vas al (cinema, teatre …) avui? 2 Quan vas al (gimnàs …)? 3 A quina hora esmorzes? 4 Quan vas a (Mataró, al dentista …)? 5 A quina hora surt (el tren, de treballar …)? 6 Què fas (diumenge …)? **10** 1 Because he is saving money to buy a flat. / Perquè està estalviant diners per pagar l'entrada d'un pis. 2 The property prices in Barcelona are very high / Els preus de l'habitatge a Barcelona són molt alts. 3 Watching a movie or reading science-fiction books / Mirar alguna pel·lícula o llegir llibres de ciència-ficció. 4 Yes, he does fitness training and plays tennis with a friend / Sí, fa gimnàstica i juga a tennis amb un amic. 5 Saturday afternoons / Els dissabtes a la tarda.

Unit 6

1 1 false 2 true 3 true 4 false **3** 1 not sounded 2 not sounded 3 sounded 4 sounded 5 not sounded 6 not sounded 7 sounded 8 not sounded **4** 1 c 2 a and c 3 b and c 4 d 5 a and b 6 d **5** A (Esqueixada, bistec amb patates, aigua, vi negre) B (sopa de verdures, lluç a la planxa, cervesa) **6** 1b 2c 3a 4e 5d **7** 1 cap 2 no en queda/no n'hi ha gens 3 gens de 4 cap 5 cap 6 té gens 7 queda/hi ha cap **8** 1 li agrada 2 es gasta 3 li 4 li 5 m'escolta 6 vénen 7 toquen 8 ens molesta 9 Els 10 ens 11 em sembla **9** A esquiar i baixar per les pistes, passejar pel poble, anar/estar-se al bar, anar al restaurant, la cuina elaborada B fer cua per a pujar les pistes, llevar-se aviat, la pizzeria Don Antonio

Unit 7

1 1 veritat 2 fals 3 veritat 4 fals **3** 1 like *see* 2 like *see* 3 like *see* 4 like *see* 5 like *nose* 6 like *see* 7 like *nose* **4** 1 avió 2 vaixell 3 tren 4 barca 5 autocar 6 cotxe 7 moto 8 bicicleta **5** 1c, 2a, 3c, 4b, 5b, 6a **6** 1 ningú 2 cap 3 gens 4 res 5 algú **7** 1 El dia 10 de setembre. 2 Al vespre. 3 Dura quaranta-cinc minuts/tres quarts d'hora. 4 103€ 5 Pensa que està molt bé de preu **8** 1 A és tan alt com B. 2 A és més feliç que B. 3 A és més ràpida que B. 4 A és menys jove que B. 5 A és tan gros com B. 6 A és més modern que B. **9** 1 iguals 2 ampla 3 superior 4 amable / avorrida 5 útil 6 bona **10** *Across*: 1 fleca 2 casat 3 zero 4 migdia 5 rento 6 val *Down*: 1 carrer 2 adéu 3 esmorzar 4 morena 5 oncle 6 vull

Unit 8

1 1 v 2 f 3 f 4 v **3** 1 like *give* 2 give 3 *measure* 4 give 5 give 6 give 7 *measure* 8 *measure* **4** 10, 4, 1, 2, 8, 3, 5, 9, 6, 7 **5** 1 el llum 2 les finestres 3 recepció 4 el telèfon 5 tovalloles 6 sabó 7 l'ascensor 8

habitació 9 clau **6** A Bany complet, quatre nits, llit doble i esmorzar, dinar i sopar B Dutxa, dues nits, llit doble i esmorzar C Bany complet, cinc nits, dos llits i esmorzar i sopar D Dutxa, una nit, dos llits i esmorzar **7** 1 a 2 right 3 en 4 right 5 a 6 right 7 right 8 a 9 de 10 A 11 right 12 right 13 d' 14 fins **8** 1 És una casa rural, agroturisme, turisme rural 2 Obren tot l'any però tanquen per vacances a l'abril i a l'octubre 3 Sí 4 No, n'hi ha quatre que tenen bany i dues que tenen dutxa. 5 Possibilitats de fer excursions guiades, esquiar, relaxar-se i gaudir de l'alta muntanya.

Unit 9

2 a4, b2, c1, d5, e6, f3 **3a** 1 final 2 final 3 next to last 4 final 5 two before last 6 next to last 7 final **4** 1 l'esquerra / a sota 2 lluny 3 la dreta 4 dins / a sobre 5 a dalt **5** 1 La finestra que és a la dreta està tancada. 2 El cotxe que és de la família d'aquí davant té set anys. 3 El museu que volem visitar és molt interessant. 4 El noi que viu al pis de dalt treballa a l'estació. 5 El tren que surt a dos quarts de sis porta retard. **6** 1 Museu Tèxtil (C) 2 Museu d'Art (B) 3 Museu d'Història (D) 4 Museu de la Indústria (A) **7** 1 unta'l 2 barreja 3 afegeix-hi 4 Treballa 5 posa-la 6 Col·loca/Posa 7 espera 8 posa 9 retira 10 afegeix 11 tira 12 posa-la

Unit 10

1 1 f 2 f 3 f 4 v **3** 1 single 2 silent 3 double 4 double; single 5 silent 6 single 7 single 8 single **5** 1a, 2c, 3b, 4c, 5b **6** *Marta*: a mig any després b va tenir c vam marxar d Ens vam instal·lar e va començar f em va agradar g vaig abandonar h Fa deu anys *Miquel*: a vaig decidir anar b l'any abans c vaig conèixer d vaig trobar e vaig comprar f Des de fa *Pilar*: a de petita b Tot va començar c em va portar d vam anar a e em va convidar f Vaig agafar g vaig voler **7** va desaparèixer – van tenir lloc – entraren – va durar – tardà – van poder desconnectar … i entrar – va arribar – va poder – mostrà **8*** 1 El robatori va tenir lloc ahir, al voltant de les onze de la nit. 2 La policia va tardar/tardà 15 minuts a arribar-hi. 3 Llibres de gran valor. 4 Els lladres van sortir per la part de darrere de la biblioteca. 5 El director va mostrar sorpresa i ràbia davant l'incident.

Unit 11

2 *As in* taxi: excursió, màxim / *As in* xavi: mateix, baixar, xai, peix, marxar / *As in* examen: exercici, exacte, exemple / *As in* cotxe: dutxa **3** 1j, 2g, 3e, 4k, 5l, 6f, 7a, 8c, 9d, 10b, 11h, 12i **4** 1 Unes jaquetes cares, curtes i blanques. 2 Una beguda fresca, vermella i ben bona. 3 Uns cafès descafeïnats, negres i congelats. 4 Uns dies grisos, llargs i ben avorrits. 5 Unes galetes marró, salades i barates. 6 Una bicicleta nova, groga i moderna. 7 Uns animals salvatges, grossos i lliures. 8 Unes camises blau fosc, econòmiques i ben elegants. **5** 1 No, també ven bosses i cinturons. 2 A finals de l'hivern, principis de la primavera. 3 Tenen dues botigues, una a Tortosa i l'altra a Amposta. 4 Un cinturó de pell. **6** 1 v 2 v 3 v 4 f **7** 1 aquest llibre 2 calent 3 el disc compacte 4 el jersei de llana 5 que fumar és dolent 6 alt i ros 7 que aquest és el seu cotxe 8 és teu això d'aquí? **8** 1 Fa un metre i seixanta centímetres aproximadament. 2 Té els cabells foscos, llargs i estirats. 3 (No acostuma a) maquillar-se. 4 Vesteix/porta/duu roba d'esport: texans i samarretes. 5 Sovint duu ulleres i porta una cua als cabells. **10** 1d, 2e, 3b, 4f, 6c **11** 1 maca 2 cercar 3 semblant 4 agradable 5 dinàmic 6 seriós/-osa

Unit 12

2 1 aigua 2 guia 3 guitarra 4 pingüí 5 vegada 6 cargol 7 lloguer 8 següent 9 gust 10 botiguera 11 segon **3** 1 v 2 v 3 f 4 f **4** 1 han decidit 2 ha passat / va passar 3 ha acceptat 4 va entrar 5 va proclamar-se/es va proclamar 6 ha parat 7 ha participat 8 va quedar 9 van tenir lloc **5** 1 Benvolgut senyor / Benvolguda senyora 2 L'ajuntament es complau a … 3 Esperem la seva assistència a l'acte 4 Molt atentament 5 Preguem confirmació 6 P.D. **6** 1 és, està 2 és, és 3 És, està 4 és, està 5 Estan 6 És, està **7** A Terrassa B Tàrrega C Maldà D Sabadell **8*** L'Andreu avui s'ha llevat a les nou del matí, ha llegit el diari i després ha acompanyat la filla a la ciutat. Tot seguit ha vist un client i ha jugat un partit d'esquaix que ha guanyat. Immediatament s'ha dutxat i ha fet el dinar. Després ha recollit la nena, ha treballat a l'ordinador i s'ha connectat a Internet. Finalment ha anat a una festa on ha ballat i ha begut cervesa. **9*** Ahir l'Andreu es va llevar/va llevar-se a les nou del matí, va llegir el diari i després va acompanyar la filla a la ciutat. Tot seguit va veure un client i va jugar un partit d'esquaix que va guanyar. Immediatament es va dutxar/va dutxar-se i va fer el dinar. Després va recollir la nena, va treballar a l'ordinador i es va connectar/va connectar-se a Internet. Finalment va anar a una festa on va ballar i va beure cervesa.

Unit 13

1 1 f 2 v 3 f 4 v **3** 1d, 2a, 3b, 4h, 5f, 6e, 7c, 8g **4*** 1 No, vol ingressar diners al seu compte. 2 No, en Tim li dóna la llibreta. 3 No, val menys. Val 1,15 dòlars. 4 No, estaran disponibles en dos/un parell de dies feiners. **5 a** 1 one 2 two 3 one 4 two 5 one 6 one 7 two 8 one 9 one 10 two **b** 1 parlarà, vindran, cançó, cargol, bonic, aniré, donem 2 parla, arriba, plàtan, donen, ràpid, sabates, règim 3 església, secretària, música, pàgina **6** 1 ha arribat, arribarà 2 s'ha distribuït, es distribuirà 3 s'ha publicat, es publicarà 4 s'ha posat a la venda, es posarà a la venda/s'hi posarà **7** 1 La Dolors els hi col·loca. 2 No va poder comprar-me-la./No me la va poder comprar. 3 Els meus amics ens hi convidaran. 4 Els ho diré. 5 Te les tornem. 6 Els en porto. 7 Ens n'ha repartit. **8** 1 Diumenge, dinou de maig 2 9H. del matí 3 Davant de l'Estació 4 Plaça de l'Ajuntament 5 Oficina de Turisme. Fins el quinze de maig 6 Un viatge per a dues persones a Londres 7 Una bicicleta 8 Un lot de llibres per un valor de 150€ **9** 1 Em sap molt de greu/Ho sento però no podré venir. 2 Me'n vaig a Andorra a visitar un/el meu cosí que és a l'hospital. 3 M'hi estaré un parell de dies. 4 Sí, ja et trucaré. **10** 1 haurà 2 pluja 3 baixaran 4 s'iniciarà 5 dominarà 6 temperatures 7 arribaran 8 bufarà 9 boira 10 farà 11 núvol 12 estarà 13 es mantindran

Unit 14

2* 1 És una empresa privada gran, filial d'una marca internacional. 2 Es dedica a la producció de productes nutricionals per a animals. 3 Ser llicenciat en químiques i tenir experiència en laboratori.   4 Dominar/Conèixer l'alemany escrit i parlat. **4** 1 a em pot posar/puc parlar b Ho sento/Em sap greu c parlant per una altra línia d tornar a trucar 2 a Puc parlar/Em pot posar b sisplau c part de qui d pengi 3 a Digui? b Sí senyor. c hi és/hi ha d s'hi posa **5*** 1 Quan hauré de començar?/Quan començo? 2 Quants treballadors té l'empresa? 3 El sou és negociable?/Es podrà discutir el sou? 4 S'ha de tenir experiència en el sector? 5 Quants dies de vacances tindré? 6 Pots/Pot tornar a trucar (més tard)? **6** 1 S'ha d'utilitzar 2 S'ha de respectar 3 S'han de tirar 4 S'ha de reciclar 5 S'han de preferir 6 S'han de conduir 7 S'ha d'evitar **7** 1c, 2d, 3a, 4f, 5b, 6e **8** 1 Cada dia l'hi paga 2 L'Antoni les hi posa 3 Ens la recomana 4 La hi/L'hi ensenya 5 Us els hem de deixar/Hem de deixar-vos-els **9** 1e, 2c, 3g, 4b, 5d, 6f, 7a **10** 1 engega els ordinadors; etiqueta els nous exemplars; truca a la distribuïdora; encarrega les obres; connecta la caixa 2 abans de, primer de tot, llavors, tot seguit, finalment **11*** Primer/En primer lloc heu de corregir els exercicis de la setmana passada. Després agafeu el llibre de Ciències i obriu-lo a la pàgina 125. Llavors heu de copiar els dos primers paràgrafs i heu de respondre a les preguntes. Tot seguit aneu al laboratori i acabeu l'experiment. Immediatament heu d'escriure els resultats a la llibreta. Finalment deixeu les llibretes al meu despatx. **12*** 1 La finalització de la temporada turística i el termini de la majoria de contractes laborals per a la recollida de fruita. 2 En primer lloc, els serveis i en segon lloc, el sector agrícola. 3 El govern ha decidit aplicar un pla (que permetrà als aturats trobar feina per a la tardor-hivern). 4 El pla consisteix en uns cursos formatius orientats a la preservació del medi ambient i de la natura (a la costa i a l'interior de Catalunya). 5 Diu que el pla li permetrà treballar tot l'any i no haver de marxar lluny a buscar feina. 6 L'atur baixarà en un 2,8 %.

Unit 15

1 1 f 2 v 3 v 4 v **4** 1 el cap 2 l'esquena 3 el braç 4 el colze 5 la mà 6 el ventre 7 el dit 8 el pit 9 el genoll 10 la cama 11 el peu 12 el nas 13 l'ull

14 l'orella 15 la boca 16 el coll **5** 1 deixaria 2 podria 3 canviarien 4 tindria 5 faríem 6 duraria **6** 2 a Tinc fred b em posaria un jersei 3 a Tinc gana b menjaria alguna cosa 4 a Tinc son b aniria al llit/a dormir 5 a Estic nerviós b em relaxaria 6 a Tinc set b beuria aigua **7** 1 No aprenguis anglès. 2 No tanquis la finestra. 3 No condueixis tan ràpid. 4 No escriguis tan a poc a poc. 5 No truquis al metge. 6 No prenguis aquest medicament. **8** 1b, 2a, 3a, 4b, 5a **9** 1 b and c 2 f and h 3 a, e and g 4 cuidar la (seva) salut

Unit 16

2* 1 Perquè la casa era molt vella. 2 Un armari molt antic. 3 Dels arbres que hi ha: n'hi ha tants com al jardí de la veïna del costat. 4 Els preus dels lloguers (de l'habitatge). 5 Creu que és una bestiesa, no hi està gens d'acord (abans estaven molt tranquils). **3** 1 tenia 2 hi havia 3 necessitàvem 4 Eren 5 vivia 6 podia 7 estan 8 regalaven 9 Era 10 volien 11 treballava 12 em passo **5** *Preterite*: va trucar, em va agradar, van acomiadar-me, va morir, vaig empassar-me, vam quedar, va ser, va demanar, va dir, vaig vessar, vaig tacar, va comentar-nos, ens va assegurar. *Imperfect*: volia (2), havia, duia, estava (2), marxaven, mentia. *Translation**: She called to tell me she wanted to talk to me. At first, I was not at all pleased. The day I got the sack, the manager also *wanted* to talk to me. And when my father died, my uncle *had* to talk to me. I swallowed doubts, saliva and fear and we agreed to meet in one of those white bars that have become fashionable. She was strangely on time. She was wearing a sky-blue dress and sunglasses. She was nervous. She ordered a very strange sandwich of boiled ham and pineapple, and a tonic water. She had not had lunch. She said this in a way to make me understand she hadn't been hungry because she was worried, desperate or sad. Accidentally, I spilled my Coca-Cola, and stained her dress. An old woman at the next table commented that nothing would get rid of Coca-Cola stains, but the waiter assured us that the old woman was lying and, with a little bit of water, they would disappear straight away. **6** *Ha trucat* per dir-me que volia parlar amb mi. D'entrada, no *m'ha agradat* gens. El dia que van acomiadar-me de l'empresa, el gerent també *volia* parlar amb mi. I quan va morir el pare, el meu oncle *havia* de parlar amb mi. *M'he empassat* els dubtes, la saliva i la por, i *hem quedat* de trobar-nos en un d'aquests bars blancs que s'han posat de moda. Ella *ha estat* estranyament puntual. Duia un vestit de color blau cel i ulleres de sol. Estava nerviosa. *Ha demanat* un entrepà molt estrany de pernil dolç i pinya, i una tònica. No havia dinat. Ho *ha dit* de manera que jo entengués que no havia tingut gana perquè estava inquieta, desesperada o trista. Involuntàriament, *he vessat* la Coca-Cola i li *he tacat* el vestit. Una vella de la taula del costat ens *ha comentat* que les taques de Coca-Cola no marxaven amb res, però el cambrer ens *ha assegurat* que la vella mentia i que, amb una mica d'aigua, marxarien de seguida. **7** 1 està 2 són 3 és/està 4 sóc 5 era 6 estar 7 està/és **8*** 1 Sí, i vaig estar allà tota la tarda, esperant el propietari. 2 No recordava que tenia una cita amb mi. 3 Aquest pis està millor/més ben situat que la casa que vaig veure dilluns, però el pis és molt més vell. 4 Algunes portes no tancaven bé i el parquet de la sala d'estar era brut. A més, jo pensava/creia que el pis tenia dos banys però vaig trobar que només en té un. 5 Sí, hi estic d'acord, però la finestra era molt petita/petitíssima. 6 Sí. M'agradaria visitar un pis de dues habitacions, amb pàrquing inclòs al preu, amb una gran terrassa i calefacció central. **9** 1d, 2c, 3a, 4b **10** 1c, 2a, 3c, 4b.

Catalan–English vocabulary

This wordlist is not intended to be exhaustive, and it will have limited use except as a complement to the course itself. It does not include articles (Units 1, 2, 6), numbers (Units 1, 2, 3), possessives (Unit 2), subject and object pronouns (Units 1, 4, 6), days, months or seasons (Units 5, 7). Adverbs in **-ment** (Unit 8) are given only in special cases. Also excluded are words whose form and meaning is identical or very close to English. The conjugation of verbs marked with an asterisk is given in the **Reference tables**. The symbol > indicates a change of construction. Numbers in brackets refer to units.

a *to, at, in, on*
a part *except for, apart from*
abandonar *to leave, to give up*
abans (de) *before*
abans-d'ahir *day before yesterday*
abraçada (f.) *embrace*
abrigar-se *to put on warm clothes, to keep warm*
acabar *to end, to finish*; acabar de ..., *to have just* ...
acomiadar *to see off, to dismiss*; acomiadar-se *to say good-bye*
acompanyar *to accompany, to give a lift*
aconsellar *to advise, to recommend*
acord (m.) *agreement*; d'acord *fine, agreed*; estar* d'acord *to agree*
acostar-se *to approach, to go/come near*

acostumar a *to do usually; to be in the habit of*
acte (m.) *event, ceremony*
actualment *now, at present*
adéu *goodbye*
adonar-se *to realize*
adreça (f.) *address*
adrogueria (f.) *hardware shop*
advocat (m.) *lawyer*
afaitar-se *to shave*
afavorir *to favour*
afeccionar-se *to grow fond of*
afegir *to add*
afores (m. pl.) *outskirts*
agafar *to take*; agafar a pit *to take to heart*
agradable *pleasant, nice*
agradar *to appeal, to be pleasing*; > *to like* (U6)
agroturisme (m.) *farmhouse accommodation*
ahir *yesterday*

aigua (f.) *water*; aigua amb gas/sense gas *fizzy/still mineral water*
aïllat/-da *isolated*
aire condicionat (m.) *air conditioning*
així *thus, so, like this/that*; així que *so, as soon as*; així com *and also*
això *this, that*; això rai *no problem!*
ajuda (f.) *help*
ajudar *to help*
ajuntament (m.) *town hall*
alberg de joventut (m.) *youth hostel*
alcalde (m.) *mayor*
alçada (f.) *height*
alegre/-a *cheerful*
alemany/-a *German*
aleshores *then*
algú *someone, somebody*
algun/-a *any, some*
alimentació (f.) *food*
all (m.) *garlic*
allà *there*
allioli (m.) *garlic and oil paste*
allò *that*
allotjament (m.) *accommodation*
alt/-a *high, tall*
altre/-a *other*
alumne/-a (m./f.) *pupil, student*
amable *kind, nice*
amanida (f.) *salad*
amant (m./f.) (de) *lover, fond of*
amb *with, in; by* (transport)
amic/amiga (m./f.) *friend*
amistat (f.) *friendship*
amor (m.) *love*
amplada (f.) *width*
ample/-a *wide, large, full*
ampli/àmplia *wide*
ampolla (f.) *bottle*
amunt *up(wards), high*
anada (f.) *outward journey*
anar* *to go*; anar bé *to be fine/all right*
anar-se'n* *to go (away)*

andalús/-usa *Andalusian*
ànec (m.) *duck*
anglès/-esa *English*
aniversari (m.) *birthday*
anterior *preceding, earlier*
antic/-ga *old, ancient*
antipàtic/-a *unlikeable, unfriendly*
antiquari (m.) *antique dealer*
anunci (m.) *advertisement*
anxova (f.) *anchovy*
any (m.) *year*; fer* anys *to have one's birthday*
apa! *come on!*
aparcar *to park*
aparellador/-a (m./f.) *master builder*
apartar *to move away, to separate*
àpat (m.) *meal*
aprendre* *to learn*
aprenent (m.) *apprentice, learner*
aprimar-se *to slim, to lose weight*
aprofitar *to take advantage*
apropar-se *to approach, to go/come near*
apuntar-se *to enrol, to sign up*
aquarel·la (f.) *watercolour*
aquí *here*; aquí mateix *right here*; d'aquí a …, *in … (from now)*
ara *now*; ara mateix *right now*
arbre (m.) *tree*
armari (m.) *cupboard, wardrobe*
arquitecte/-a (m./f.) *architect*
arran de *level with; immediately after, as a result of*
arreglar *to fix, to repair, to sort out*
arreu *everywhere*
arribada (f.) *arrival*
arribar *to arrive*
arrissat/-da *curly-haired*
ascensor (m.) *lift*
assegurança (f.) *insurance*
assegurar *to assure, to insure*
assistència (f.) *attendance, presence*
assortit (m.) *selection, range*
atent/-a *polite, attentive*
atentament *sincerely, faithfully*

atractiu/-iva *attractive*
atur (m.) *unemployment*
au! *come on!*
autobús (m.) *bus*
autocar (m.) *coach*
autovia (f.) *dual carriageway*
avall *down(wards)*
avi/àvia (m./f.)
  grandfather/mother
aviat *soon, early*; més aviat
  rather
avinguda (f.) *avenue*
avió (m.) *aeroplane*
avorrit/-da *boring, bored*
avui *today*; avui dia, *these days*

bacallà (m.) *cod*
badia (f.) *bay*
baix (m.) *bass*
baix/-a *small, short, low*
(a) baix *down, below*
baixada (f.) *fall, decrease*
baixar *to go/come down, to take
  down; to get out of (vehicle)*
ball (m.) *dance, dancing*
ballar *to dance*
banc (m.) *bank*
bany (m.) *bathroom, toilet*
banyar-se *to bathe, to take a bath*
barat/-a *cheap*
barca (f.) *(small) boat*
barra (f.) *baguette; bar, counter*
barrejar *to mix*
barri (m.) *neighbourhood, district*
bateria (f.) *drum-kit, drums*
bé *well, fine*
beguda (f.) *drink*
ben *very, really*
benefici (m.) *profit*
benvolgut/-da *dear*
berenar (m.) *afternoon light meal*
bessó/-ona (m./f.) *twin*
bestiesa (f.) *madness, stupid thing*
beure* *to drink*
biblioteca (f.) *library*
bicicleta (f.) *bicycle*
bistec (m.) *steak*
bitllet (m.) *ticket; banknote*
blanc/-a *white*

blau/-va *blue*
bo (bon)/bona *good* (U4)
boca (f.) *mouth*
boig/boja *mad*
boira (f.) *fog*
bol (m.) *bowl*
bolet (m.) *mushroom*
bonic/-a *nice, pretty, attractive*
bosc (m.) *forest, wood*
bossa (f.) *bag, handbag*
botifarra (f.) *Catalan sausage*
botiga (f.) *shop*
botiguer/-a (m./f.) *shopkeeper*
botó (m.) *button*
braç (m.) *arm*
a la brasa *charcoal-grilled*
breu *short, brief*
brusa (f.) *blouse*
brut/-a *dirty; gross, before tax*
bufar *to blow*
bullir *to boil*
buscar *to look for*
bústia (f.) *mailbox*
butaca (f.) *armchair*

ca *house, home* (U6)
cabell (m.) *hair*
cabina telefònica (f.) *telephone
  box*
cada *each, every*
cadira (f.) *chair*
cafè (m.) *coffee*
caixa (f.) *savings bank; checkout,
  till*
caixer automàtic (m.) *cash
  machine*
calaix (m.) *drawer*
calaixera (f.) *chest of drawers*
calamar (m.) *squid*
calamarsa (f.) *hail*
calçat (m.) *footwear*
caldre* *to be necessary, must*
  (U15)
calefacció (f.) *heating*
calent/-a *hot*
calés (m. pl.) *money* (colloquial)
callar *to be quiet*
calor (f.) *hot*; tenir* calor *to
  be/feel hot*

cama (f.) *leg*
cambrer/-a (m./f.) *waiter*
camí (m.) *track, way*
caminar *to walk*
camió (m.) *lorry*
camisa (f.) *shirt*
camp (m.) *field, country*
campanya (f.) *campaign*
càmping (m.) *camp site*
campió/-ona (m./f.) *champion*
campionat (m.) *championship*
can/cal/ca l' (*see* ca)
cançó (f.) *song*
cansat/-da *tiring, tired*
cantonada (f.) *corner*
canvi (m.) *change, exchange*; en canvi *on the other hand*
canviar *to change*
cap (m.) *head, end*
cap *any; none, not one* (U6)
cap a *towards*
capa (f.) *layer*
capaç *able, capable*
capdamunt (m.) *top*
capdavall (m.) *bottom*
car/-a *expensive, dear*
cara (f.) *face*
carai! *gosh!*
cargol (m.) *snail*
carn (f.) *meat*
carnet (m.) carnet de conduir *driving licence*; carnet d'identitat, *identity card*
carnisseria (f.) *butcher's (shop)*
càrrec (m.) *load, weight; charge, duty*; a càrrec de *chargeable to*
carrer (m.) *street*
carrera (f.) *university studies; career*
carretera (f.) *(main) road*
carta (f.) *letter; playing card; menu*
carter/-a (m./f.) *postman/woman*
cartera (f.) *wallet*
cartró (m.) *cardboard*
casa (f.) *house, home*; casa de pagès *farmhouse*
casar-se *to get married*
casat/-da *married*
castell (m.) *castle*

castellà/-ana *Castilian*
caure* *to fall (down)*; caure malament > *to dislike*
cava (m.) *cava, Catalan sparkling wine*
cavall (f.) *horse*
ceba (f.) *onion*
cel (m.) *sky*
cèntim (m.) *cent*
centre comercial (m.) *shopping centre*
cercar *to look for*
cert/-a *certain, sure*; per cert *by the way*
cervesa (f.) *beer*
cine/cinema (m.) *cinema*
cintura (f.) *waist*
cinturó (m.) *belt*
cita (f.) *appointment*
ciutat (f.) *city, town*
clar/-a *clear, light, light-coloured*; és clar *of course, obviously*
classe (f.) *class, lesson; classroom*
clau (f.) *key*
client/-a (m./f.) *customer*
cobert/-a *covered, overcast*
coberts (m. pl.) *cutlery*
coca (f.) *flat sponge cake*
codi (m.) *code*
cognom (m.) *surname*
col (f.) *cabbage*
col·locar *to place, to insert*
coll (m.) *neck, throat*
colze (m.) *elbow*
com *how, as, like*; com que *as, since*; com va això? *how are you?*
comarca (f.) *district, region*
comarcal *local*
començar *to start, to begin*
comentar *to comment/remark on*
comissaria (f.) *police station*
còmode/-a *comfortable*
compartir *to share*
complaure's *to be pleased*
comportament (m.) *behaviour*
comprar *to buy*
compte (m.) *bill, account*
conduir *to drive*

conèixer* *to know, to meet*
congelat/-da *frozen*
conill (m.) *rabbit*
conjunt (m.) *combination*; de conjunt *matching*
connectar *to plug in*
consulta (f.) *surgery*
content/-a *pleased, happy*
contestador (m.) *answering machine*
contra *against*; estar* en contra *to disagree*
contractar *to hire, to engage*
convidar *to invite*
convidat/-da (m./f.) *guest*
cop (m.) *blow, knock; time*; cop d'ull *glance, quick look*
copa (f.) *glass (with stem)*
corbata (f.) *tie*
corregir *to correct*
córrer* *to run*
correu (m.) *mail*
correus (m. pl.) *post office*
cortina (f.) *curtain*
cos (m.) *body*
cosa (f.) *thing*
cosí/-ina (m./f.) *cousin*
cost (m.) *cost, price*
costa (f.) *cost; coast*
costar *to cost; to be hard*
costat (m.) *side*; al costat de *next to*
cotxe (m.) *car*
coure *to cook*
crear *to create, to make*
cregut/-da *conceited, big headed*
crema (f.) *cream, sun-cream*
crema catalana (f.) *crème brulée*
creuer (m.) *cruise*
creure* *to believe, to think*
cru/-a *raw*
cua (f.) *tail, queue*
cuidar *to look after, to take care of*
cuina (f.) *kitchen, cuisine*
cuit/-a *cooked, stewed*
cullera (f.) *spoon*
cunyat/-da (m./f.) *brother-/sister-in-law*

curs (m.) *course*
cursa (f.) *race*
curt/-a *short*

dades (f. pl.) *data*
dalt *above, upstairs*
damunt (de) *on (top of), over*
danès/-esa *Danish*
darrer/-a *last, latest*
darrere (de) *behind*
davant (de) *in front (of)*
de *of, from*
de debò *real, really, for sure*
dèbil *weak*
decidir *to decide*
dedicar *to dedicate; to spend (time)*; dedicar-se (a) *to work (as)*
deixalla (f.) *rubbish*
deixar *to leave, to lend/loan; to let/allow*; deixar de *to stop*
demà *tomorrow*; demà passat *the day after tomorrow*
demanar *to ask for*
demanda (f.) *request, demand*
dent (f.) *tooth*
dependre *to depend*
des de *since*
desanimat/-da *discouraged, downhearted*
desaparegut/-da *missing*
desaparèixer *disappear*
descafeïnat *decaffeinated*
descans (m.) *rest, break*
descansar *to rest*
descobrir *to discover, to find out*
desconnectar *to switch off*
desconegut/-da *unknown*
desesperat/-da *desperate*
desitjar *to want*
desmotivat/-da *dispirited, listless*
despatx (m.) *office*
despertar-se *to wake up*
despesa (f.) *expense, expenditure*
després *after (wards)*
destacar *to (make) stand out, to highlight*
Déu n'hi do! *[emphatic affirmation or agreement]*
deure* *to owe; must = to be*

likely (U9)

dia (m.) *day*; bon dia *good day/morning*

diari/-ària *daily*; diari (m.) *newspaper*

dinar *to have lunch*; dinar (m.) *lunch, midday meal*

diner(s) (m.) *money*

dineral (m.) *piles of money*

(a) dins de *inside, in*

dipòsit (m.) *tank, deposit*

dir* *to say, to tell*; dir-se *to be called* (U1)

direcció prohibida (f.) *one way (traffic)*

dirigir *to direct*

disc (m.) *disc, record*

discurs (m.) *speech*

discutir *to discuss*

disparar *to fire, to launch*; disparar-se, *to rocket (prices)*

disponible *available*

a disposar *you are welcome!*

dissenyador/-a (m./f.) *designer*

distribuir *to deliver*

dit (m.) *finger*

divertir-se *to enjoy oneself, to have fun*

divertit/-da *amusing*

doble *double*

dolent/-a *bad*

dolor (m.) *pain*

domini (m.) *command*

dona (f.) *wife, woman*

donar *to give*, donar a *to look out on, to face towards*

doncs *well, so, then*

dormir *to sleep*

dret (m.) *right, entitlement*

dret/-a *right, straight*; tot dret *straight ahead*

dreta (f.) *right-hand side*

dubte (m.) *doubt*

dur* *to carry, to wear*

durant *during, for*

durar *to last*

dutxa (f.) *shower*

dutxar-se *to take a shower*

econòmic/-a *cheap, economical*

edat (f.) *age*

edifici (m.) *building*

editorial (f.) *publishing house*

educat/-da *good mannered, polite*

efectiu *cash*; en efectiu *by cash*

ei *hey!*

eixida (f.) *exit, way out; departure*

elaborar *to prepare, to make*

elaborat/-da *refined*

elegant *elegant*

elevat/-da *high*

embaràs (m.) *pregnancy*

embotit (m.) *cured meat, salami*

empassar-se *to swallow*

empleat/-da (m./f.) *employee, clerk*

empresa (f.) *enterprise, business*

emprovador (m.) *fitting room*

emprovar-se *to try on*

en *in, at, on*

encantat/-da *charmed, nice to meet you*

encara *still*; encara no *not yet*; encara que *although*

encarregar *to order*; encarregar-se (de) *to be in charge of*

encendre* *to switch on, to light*

enciam (m.) *lettuce*

endarrere *back(wards)*

endavant *ahead, forward*

endur-se* *to take away*

enfadar-se *to get angry*

enfadat/-da *angry*

enfeinat/-da *busy*

enganyar *to deceive*

engegar *to switch on, to start, to set in motion*

enginyer/-a (m./f.) *engineer*

enguany *this year*

enhorabona! *congratulations*

ennuvolat/-da *cloudy*

ensenyar *to show, to teach*

entendre* *to understand*; entesos *OK, fine*

entrada (f.) *entrance; ticket (for entry); down payment; d'entrada first(ly), at first*

entrar *to enter, to come/go in*
entre *between, among*
entrecot (m.) *steak*
entrenar-se *to train*
entrepà (m.) *sandwich*
entrevista (f.) *interview*
enviar *to send*
equipar *to fit out*
equipatge (m.) *lugagge*
equivocar-se *to be wrong*
error (m.) *mistake*
escacs (m. pl.) *chess*
escala (f.) *staircase, stairs*
escalar *to climb*
escalivada (f.) *chargrilled vegetables*
escenari (m.) *stage, set*
escocès/-esa *Scottish*
escola (f.) *school*
escollir *to choose*
escoltar *to listen (to)*
escriure* *to write*
escudella (i carn d'olla) (f.) *traditional stew*
església (f.) *church*
esmorzar *to have breakfast*, (m.) *breakfast*
espantat/-da *frightened*
espanyol/-a *Spanish*
espardenya (f.) *espadrille, trainer*
espàrrec (m.) *asparagus*
especialitat (f.) *speciality*
espera (f.) *waiting*
esperar *to wait (for), to hope, to expect*
espès/-essa *thick*
esprai (m.) *spray*
esquaix (m.) *squash (sport)*
esqueixada (f.) *dried cod, shredded and dressed*
esquena (f.) *back*
esquerra (f.) *left-hand side*
esquiar *to ski*
estació (f.) *station*
estacionament (m.) *parking*
estacionar *to park*
estalvis (m. pl.) *savings*
estalviar *to save*
estanc (m.) *tobacconist's (shop)*

estar* *to be*; estar a punt de *to be about to*; estar d'acord *to agree*; estar en contra, *to disagree*; estar-se *to live, to stay* (U2)
estat civil (m.) *marital status*
estel (m.) *star*
estimar *to love, to be fond of*; estimar-se més *to prefer*
estirat/-da *straight*
estómac (m.) *stomach*
estona (f.) *(short) time*
estranger/-a, *foreign(er)*; a l'estranger *abroad*
estrany/-a *strange*
estret/-a *tight, narrow*
estudiant (m./f.) *student*
estudiar *to study*
estufa (f.) *heater, stove*
etapa (f.) *period, stage*
etiquetar *to label*
evitar *to avoid*
exacte/-a *exact; that's right, right*
excursió (f.) *trip, outing*
exemplar (m.) *copy (of book)*
èxit (m.) *success*
explicar *to explain*
exposició (f.) *exhibition*
extravagant *eccentric, outlandish*

fa *ago* (U10)
fabricar *to manufacture*
fàcil *easy*
facultat (f.) *faculty*
faldilla (f.) *skirt*
faltar *to be missing/lacking*
família (f.) *family*
farina (f.) *flour*
farmàcia (f.) *chemist's (shop)*
fart/-a *fed up*
fat/-da *tasteless*
fatal *not (at all) good, rubbish*
favor (m.) *favour*; a favor (de) *for, in favour (of)*; per favor *please*
feble *weak*
febre (f.) *fever, temperature*
feina (f.) *work, job*
feiner, dia *working day*
feliç *happy*

felicitats! *congratulations!, happy birthday!*

fer* *to do, to make* (and numerous idioms): fer bondat *to behave oneself*; fer cas (de) *to pay attention (to)*; fer córrer *to draw (curtains)*; fer cua *to queue*; fer de *to work/have a job as*; fer falta *to be necessary*; fer fora *to get rid of*; fer llit *to stay in bed*; fer mal *to hurt*; fer res > *to mind* (U8); fer-s'ho *to manage*

ferit/-da *wounded, injured*

festa (f.) *party, festival*

fet (m.) *fact, event*

fet/-a *done, cooked*

ficar *to put in*

fill/-a (m./f.) *son/daughter*

final (m.) *end*; al final de tot (de) *at the very top/end (of)*

finestra (f.) *window*

fins (a) *until, up to, as far as*; fins que *until*; fins i tot *even*; fins després *see you later*

fira (f.) *market*

fitxa (f.) *filing card*

flam (m.) *crème caramel*

fleca (f.) *baker's (shop)*

flor (f.) *flower*

foc (m.) *fire, burner, ring*

fonda (f.) *inn*

fons *bottom, end; background; stock*; al fons *at the bottom/end*

(a) fora *out, outside*

força *very, quite a lot (of)*

formació (f.) *training*

formar part *to take part*

formatge (m.) *cheese*

forn (m.) *oven*; al forn *baked*; forn de pa (m.) *baker's (shop)*

forquilla (f.) *fork*

fort/-a *strong, heavy, powerful*

fosc/-a *dark*; a les fosques *in the dark*

fotut/-da *in a (bloody) bad way* (colloquial)

francès/-esa *French*

fred (m.) *cold(ness)*; tenir* fred *to be/feel cold*

fregir *to fry*

fresc/-a *fresh, cool*

fruit (m.) *fruit*; fruit sec *dried fruit*

fruita (f.) *(fresh) fruit*

fruiteria (f.) *green grocer's (shop)*

fumador/-a (m./f.) *smoker*

fumar *to smoke*

funcionar *to work*

fuster (m.) *carpenter, joiner*

(no) gaire *(not) very, (not) very much*; (pl) *(not) very many*

gairebé *nearly, almost*

galeta (f.) *biscuit*

gamba (f.) *prawn*

gana (f.) *hunger*; tenir* gana *to be/feel hungry*; tenir* ganes de *to be keen to*

ganivet (m.) *knife*

gasolina (f.) *petrol*

gastar(-se) *to spend*

gaudir (de) *to enjoy*

gelat (m.) *ice cream*

genoll (m.) *knee*

(no) gens *(not) any* (U6); *not at all*

gent (f.) *people*

gerent (m.) *manager*

germà/-na (m./f.) *brother/sister*

gimnàs (m.) *gym(nasium)*

girar *to turn*

gos (m.) *dog*

got (m.) *glass*

govern (m.) *government*

gràcies *thanks/thank you*

gran *big; elder*

gras/-sa *fat*

gratinar *to brown under grill*

gratuït/-a *free*

grau (m.) *degree*

greu *serious*; saber* greu > *to be sorry*

grip (f.) *influenza*

gris/-a *grey*

groc/-ga *yellow*

gros/-sa *big*

gual (m.) *ford; entrance (no parking)*

guant (m.) *glove*
guanyar *to win*
guarnició (f.) *garnish*
guia (m./f.) *guide*; (f.) *guide book*
gust *taste, pleasure*; molt de gust *pleased to meet you*; pel meu gust *to/for my taste*; venir* de gust *to appeal > to feel like*

habitació (f.) *room, bedroom*
habitatge (m.) *housing*
haver* *to have (auxiliary: U12)*; haver de *to have to, must (U14)*
hi ha *there is, there are*
història (f.) *history, story*
hola *hello*
home (m.) *man*
home! *well (exclamation)*
hora (f.) *hour; time (U3)*
horari (m.) *timetable, opening hours*; horari intensiu, *continuous working day without lunchtime break*
hostal (m.) *budget hotel*
hostaler/-a (m./f.) *hotel owner*
humor (m.) *mood*

i *and*
igual *equal, (the) same*; igualment *me too, likewise*
il·limitat/-da *unlimited*
importar *to import; to matter, to be important*
imprescindible *essential*
inauguració (f.) *opening*
incendi (m.) *fire*
inclòs/-osa *included; including*
independitzar-se *to become self-sufficient*
indicació (f.) *sign*
individual *individual, single (room)*
infància (f.) *childhood*
infermer/-a (m./f.) *nurse*
influir *to influence, to affect*
infusió (f.) *infusion, herbal tea*
ingressar *to pay in; to admit (to hospital)*
iniciar *to start, to begin*

inquiet/-a *anxious, worried*
instal·lació (f.) *fittings, equipment; facility*
intel·ligent *intelligent, clever*
interessant *interesting*
involuntari/-ària *accidental, not deliberate*
irlandès/-esa *Irish*
italià/-ana *Italian*

ja *already, yet, (by) now (U7)*; ja no *no longer*
japonès/-esa *Japanese*
jaqueta (f.) *jacket*
jardí (m.) *garden*
jersei (m.) *jersey, jumper*
joc (m.) *game*; a joc *matching*
joieria (f.) *jeweller's (shop)*
jove *young*
jovent (m.) *young people*
jugar *to play*
just/-a *right*; justament *as it happens*

laborable *working*
lamentar *to be sorry*
lampista (m./f.) *plumber*
lavabo (m.) *toilet, WC; washbasin*
licor (m.) *spirit*
línia (f.) *line*
lot (m.) *batch, portion*
lladre (m./f.) *thief*
llana (f.) *wool*
llarg/-a *long*
llargada (f.) *length*
llàstima (f.) *pity*
llauna (f.) *tin, can*
llavors *then, next*
llegir *to read*
llei (f.) *law*
llençol (m.) *sheet (for bed)*
llengua (f.) *language; tongue*
llenguado (m.) *sole*
llest/-a *clever, bright*
llet (f.) *milk*
lletrejar *to spell*
llevar-se *to get up*
llevat (m.) *yeast*

llibre (m.) *book*
llibreta (f.) *notebook, exercise book; passbook*
llicenciat/-da (m./f.) *graduate*
lliçó (f.) *lesson*
llimona (f.) *lemon*
llit (m.) *bed*
lliura esterlina (f.) *pound (sterling)*
lliure *free*
lloc (m.) *place*; tenir* lloc *to take place*
llogar *to hire, to rent*
lloguer (m.) *rent, hire charge*
lluç (m.) *hake*
llum (f.) *light*; (m.) *lamp, lighting*
lluny *far*

mà (f.) *hand*
maco/-a *nice, attractive*
maduixa (f.) *strawberry*
madur/-a *ripe*
(no) mai *(not) ever, never*
major *bigger, biggest; main*
majoria (f.) *majority*
mal (m.) *harm, badness, pain*; mal de cap (m.) *headache*; fer* mal *to hurt*
mal/-a *bad*; malament *in a bad way, badly*
malaltia (f.) *illness*
maleta (f.) *suitcase*
mandra (f.) *lethargy, laziness*
manera (f.) *manner, way*; de manera que *so, so that*
mantega (f.) *butter*
mantenir *to maintain*
mapa (m.) *map*
maquillar-se *to put on make up*
mar (m./f.) *sea*
marca (f.) *(trade) mark, brand*
mare (f.) *mother*
marejar-se *to be/feel (travel) sick*
marejat/-da *feeling sick*
marit (m.) *husband*
marró *brown*
marxar *to leave, to go away*
masia (f.) *farmhouse, farmstead*
massa (f.) *dough*

massa *too much*
matalàs (m.) *mattress*
mateix/-a *same, self*; ahir mateix *just yesterday*
matí (m.) *morning*
matinada (f.) *early morning*
mató (m.) *cottage cheese, curds*
mecànic (m.) *mechanic*
medi ambient (m.) *environment*
medicament (m.) *medicine, medication*
meitat (f.) *half, middle*
mel (f.) *honey*
melmelada (f.) *jam*
meló (m.) *melon*
menjador (m.) *dining room*
menjar *to eat; to have lunch*; (m.) *food*
menor *smaller, smallest*
mentida (f.) *lie*
mentir *to lie*
mentre *while*
menú (m.) *(set) menu, table d'hôte*
menys *less, least*
mercat (m.) *market*
mes (m.) *month*
més *more, most, else*; més aviat *rather, tending to be*; a més *as well, moreover*
mescla (f.) *mixture*
mestre/-a (m./f.) *school teacher*
mestressa de casa (f.) *housewife*
mesura (f.) *measure*
metge/-ssa (m./f.) *doctor*; metge de capçalera *GP, family doctor*
metro (m.) *underground*
mica (f.) *(little) bit*
mida (f.) *measurement*; anar* a la mida *to fit*
mig (m.) *middle*
mig/-tja *half*
migdia (m.) *noon, midday*
millor *better, best*
mínim/-a *minimum, least*; com a mínim *at least*
minut (m.) *minute*
mirall (m.) *mirror*
mirar *to watch, to look (at)*

missatge (m.) *message*

mitjà (m.) *means, way*; mitjans de comunicació *media*

mitjó (m.) *sock*

moble (m.) *item of furniture*

moda (f.) *fashion*

molestar *to annoy*

moll/-a *wet*

molt *very*

molt/-a *much, a lot*; (pl), *many*

moment (m.) *moment*; de moment *at present, for the time being*

món (m.) *world*

moneda (f.) *coin, currency*

mongeta (f.) *bean*

morè/-ena *dark-haired/skinned*

morir *to die*

moro/-a *Moorish*

mostrar *to show, to display*

moto (f.) *motorbike*

mullar *to soak*; mullar-se *to get wet*

mundial *worldwide*

munt (m.) *heap, lot*

muntanya (f.) *mountain*

muntar *to assemble, to set up*

música (f.) *music*

naixement (m.) *birth*

nap (m.) *turnip*

nas (m.) *nose*

nata (f.) *cream*

nebot/-da (m./f.) *nephew/niece*

necessitar *to need*

nedar *to swim*

negoci (m.) *business*

negre/-a *black, red (wine)*

nen/-a (m./f.) *(young) child, boy/ girl*

néixer* *to be born*

nerviós/-osa *nervous*

net/-a *clean; after tax*

netejar *to clean*

neu (f.) *snow*

nevada (f.) *snow fall*

nevar *to snow*

nevera (f.) *fridge*

ni *neither, nor; not even*

ningú *nobody*

nit (f.) *night*

nivell (m.) *level*

no *no, not*; no ... pas *(emphatically) not*

noi/-a (m./f.) *boy/girl*

nom (m.) *name, first name*

només *only*

notar *to (take) note, to notice*

nou/-va *new*

número (m.) *number*

núvol (m.) *cloud*; (adj.) *cloudy*

o *or*

obert/-a *open*

oblidar *to forget*

obra (f.) *play, drama, work*

obrir* *to open*

ocupat/-da *busy*

oferir *to offer*

oferta (f.) *offer*

oficina (f.) *office*

oh i tant! *of course!*

oi? *isn't that so?* (U10)

oli (m.) *oil*

oliva (f.) *olive*

olla (f.) *cooking pot*

on *where*

oncle (m.) *uncle*

opció (f.) *option*

opinar *to have an opinion, to think*

oposar-se *to object*

ordenar *to put in order, to arrange*

ordinador (m.) *computer*

orella (f.) *ear*

orgullós/-osa *proud*

ostres! *gosh!*

ou (m.) *egg*

pa (m.) *bread*

pagar *to pay (for)*

pàgina (f.) *page*

país (m.) *country*

paisatge (m.) *landscape, scenery*

paleta (m./f.) *bricklayer, builder*

pantalons (m. pl.) *trousers*

paperera (f.) *waste-paper basket*

paquet (m.) *packet, parcel*

parada (f.) *stop*

parar *to stop;* parar la taula *to lay the table;* parar el sol *to sit out in the sun*

paraula (f.) *word*

pare *father;* (pl.) *parents*

parell (m.) *pair, couple*

parella (f.) *couple (people)*

paret (f.) *wall*

parlar *to talk, to speak*

parquímetre (m.) *parking meter*

pàrquing (m.) *car park*

part (f.) *part, side;* a part, *separately;* de part de qui? *who is calling?*

partit (m.) *game, match*

passadís (m.) *corridor*

passaport (m.) *passport*

passar *to pass; to cross; to call in; to happen; to put on (telephone); to spend (time)*

passar-s'ho bé *to have a good time;* passi-ho-bé *goodbye (formal)*

passar a + inf. *to go/come and …*

passat/-da *last*

passeig (m.) *promenade*

passejar *to go for a walk*

pasta (f.) *pastry, cake, bun*

pastanaga (f.) *carrot*

pastilla (f.) *tablet, pill*

pastís (m.) *cake, pie*

pastisseria (f.) *cake shop*

patata (f.) *potato*

patinatge (m.) *skating*

patir *to suffer, to bear*

pau (f.) *peace*

pebrot (m.) *pepper*

peça (f.) *piece*

peix (m.) *fish*

peixateria (f.) *fish shop*

pel·lícula (f.) *film, movie*

pell (f.) *skin, leather*

pèl-roig/roja *red haired*

penjar *to hang (up)*

pensar *to think;* (+ inf.) *to intend*

pensió (f.) *guest house;* pensió completa *full board;* mitja pensió *half board*

pentinar(-se) *to comb (one's hair)*

pentinat (m.) *hairstyle*

per *by, through, for, along;* (+ inf.) *in order to* (U9); per a *for* (U9)

per què? *why?*

pera (f.) *pear*

perdonar *to forgive, to excuse*

perdre *to lose*

perfeccionament (m.) *improvement*

perfecte/-a *perfect, all right*

periodista (m./f.) *journalist*

perjudicat/-da *damaged*

pernil (m.) *ham;* pernil dolç/salat *boiled/cured ham*

però *but, however*

perquè *because; in order that* (U9)

perruquer/-a (m./f.) *hairdresser*

persona (f.) *person*

personal (m.) *staff*

pes (m.) *weight*

pesar *to weigh*

pescar *to fish*

petit/-a *small;* de petit/-a *when I was young*

petó (m.) *kiss*

peu (m.) *foot;* a peu *on foot, walking*

pintor/-a (m./f.) *painter*

pintura (f.) *painting*

pinya (f.) *pineapple*

pis (m.) *floor; apartment, flat*

piscina (f.) *swimming pool*

pista (f.) *track, court; ski run*

pit (m.) *chest, breast*

pitjor *worse*

plaça (f.) *square; seat, place, position*

planxa (f.) *grill*

planxar *to iron*

plat (m.) *dish, plate, course (of meal)*

plàtan (m.) *banana*

platja (f.) *beach*

ple/-na *full*

plegar *to finish (work)*

plom (m.) *lead*

ploure* *to rain*

pluja (f.) *rain*

població (f.) *town, city, village; population*
poble (m.) *village, town*
pobre/-a *poor*
poc (m.) *a little*
poc/-a *little, small; not much,* (pl.) *not many;* a poc a poc *slowly, gradually*
poder* *to be able, can*
policia (f.) *police (force)*
pollastre (m.) *chicken*
poma (f.) *apple*
pont (m.) *bridge*
por (f.) *fear;* fer* por *to frighten;* tenir* por *to be afraid*
porc (m.) *pig, pork*
porro (m.) *leek*
porta (f.) *door*
portal (m.) *access, doorway*
portar *to carry, to bring, to take, to wear, to drive*
portuguès/-esa *Portuguese*
posar *to put, to put on;* posar-se *to become;* posar-se al telèfon *to come to/answer the phone*
postal (f.) *postcard*
postguerra (f.) *postwar period*
postres (f. pl.) *dessert;* per postres *on top (of all that)*
pot (m.) *can, tin*
potser *perhaps, maybe*
preciós/-osa *lovely, beautiful*
preferir *to prefer*
pregar *to pray; to ask (for), to beg*
pregunta (f.) *question*
preguntar *to ask*
prémer *to press*
premi (m.) *prize, award*
prendre* *to take*
preocupat/-da *worried*
preparar *to prepare, to get ready*
presentar *to present, to introduce*
préssec (m.) *peach*
prestatge (m.) *shelf*
preu (m.) *price*
preveure *to foresee*
prim/-a *slim, thin*
primer/-a *first*

principi (m.) *beginning; principle*
professor/-a *teacher (secondary), lecturer (university)*
programa (m.) *programme*
prohibit/-da *forbidden*
prometre *to promise*
pronosticar *to predict, to forecast*
(a) prop (de) *near (to), close (to)*
proper/-a *next*
propi/-òpia *own*
propina (f.) *tip*
proposar *to propose*
proposta (f.) *proposal*
prou *enough, sufficient(ly); definitely, of course*
prova (f.) *test, proof*
provar *to try, to taste, to test*
publicar *to publish*
pujada (f.) *rise*
pujar *to go/come up; to take/carry up*
pulmó (m.) *lung*
punt (m.) *point;* en punt, *exactly (time);* estar* a punt de *to be about/ready to*
puntual *punctual, on time*

quadre (m.) *picture*
quan *when*
quant/-a *how much;* (pl.) *how many*
quantitat (f.) *quantity, amount*
quart (m.) *quarter*
que *which, who* (U9); *that; than; because* (U13); que + adj. *how …!*
què? *what?*
quedar *to be left, to remain;* > *to have left* (U6); *to be situated; to suit; to agree (on an arrangement);* quedar-se *to stay*
queixal (m.) *(back) tooth*
queviures (m. pl.) *groceries*
qui *who*
quilo (m.) *kilo(gram)*
quilometratge (m.) *mileage (in km)*
química (f.) *chemistry*
quin/-a? *which?, what?*

ràbia (f.) *rage, anger*
ràdio (f.) *radio*
raïm (m.) *grape(s)*
raó (f.) *reason;* tenir* raó *to be right*
rap (m.) *monkfish*
ràpid/-a *quick, fast*
rebedor (m.) *entrance, hall*
rebre *to receive*
recepció (f.) *reception*
recepta (f.) *recipe, prescription*
receptar *to prescribe*
recipient (m.) *receptacle*
recollida (f.) *collection, gathering*
recollir *to collect, to pick (up)*
recomanar *to recommend*
recordar *to remember, to remind*
recorregut (m.) *route*
recuit (m.) *curds, cottage cheese*
redistribuir *rearrange*
reduir *to reduce*
reemborsable *refundable*
refredar-se *to have/catch a cold*
refredat (m.) *(head) cold*
refresc (m.) *soft drink*
refugi (m.) *shelter, lodge*
regalar *to give (as a present)*
règim (m.) *diet*
rei (m.) *king*
rellotge (m.) *watch, clock*
renovació (f.) *renewal*
rentar *to wash, to clean*
repartir *to distribute, to deliver*
repetir *to repeat*
repòs (m.) *rest*
representació (f.) *performance*
requerir *to ask (for), to request, to require*
(no) res *(not) anything, nothing;* de res *don't mention it;* no hi fa res *don't worry about it/that;* res més *nothing else*
requisit (m.) *requirement*
reserva (f.) *booking, reservation*
reservar *to book*
resoldre *to solve, to resolve*
respondre *to respond, to reply*
resposta (f.) *answer*
retard (m.) *delay*

retirar *to remove*
retirat/-da *retired*
reunió (f.) *meeting*
revista (f.) *magazine*
riu (m.) *river*
riure* *to laugh*
roba (f.) *clothes*
robar *to steal, to commit burglary*
robatori (m.) *robbery, burglary*
roig/-ja *red*
romà/-na *Roman*
ros/-sa *fair haired, fair skinned*
rosa *pink*
rosat *rosé (wine)*
rostir *to roast*
rotonda (f.) *roundabout*

sabata (f.) *shoe*
saber* *to know;* saber greu > *to be sorry*
sabó (m.) *soap*
sal (f.) *salt*
sala (f.) *room;* sala d'estar *living room*
salat/-da *salty*
saltar *to jump;* saltar-se *to miss, to get round*
salut (f.) *health*
salvatge *wild*
samarreta (f.) *vest, T-shirt*
sandàlies (f. pl.) *sandals*
secretari/-ària (m./f.) *secretary*
segell (m.) *(postage) stamp*
segle (m.) *century*
segon/-a *second*
segons *according to, depending on*
següent *following*
seguir *to follow; to continue, to go on*
seguit (m.) *series, sequence*
seguit/-da de seguida *immediately, straight away;* tot seguit *then, next*
segur/-a *safe, sure*
seguretat (f.) *safety, security*
seleccionar *to select*
semàfor (m.) *traffic lights*
semblant *similar, like, alike*

semblar *to seem;* > *to think* (U6)

sempre *always;* com sempre *as usual*

senglar (m.) *wild boar*

sens dubte *definitely*

sense *without*

sentir *to feel; to hear; to be sorry;* ho sento *I'm sorry*

senyal (m.) *signal, tone*

senyor/-a (m./f.) *gentleman/lady; sir/madam*

senzill/-a *simple, natural, straightforward*

ser* *to be* (U1); som-hi *let's go*

seriós/-osa *serious*

servei (m.) *service*

servir *to serve*

set (f.) *thirst;* tenir* set *to be thirsty*

seure* *to sit (down), to be seated*

setmana (f.) *week;* cap de setmana (m.) *weekend*

si *if*

sí *yes*

sigui: o sigui *that is (to say)*

simpàtic/-a *nice*

sisplau/si us plau *please*

situar *to place*

sobre *on, upon, over; about;* a sobre *above*

sobre (m.) *envelope*

sobretot *above all*

societat (f.) *society*

sol (m.) *sun*

sol/-a *alone*

solter/-a *single, unmarried*

somni (m.) *dream*

son (f.) *sleep, sleepiness;* tenir* son *to be/feel sleepy*

sopa (f.) *soup*

sopar *to have dinner/evening meal;* (m.) *dinner, evening meal*

soroll (m.) *noise*

sorprendre *to surprise*

sorprès/-esa *surprised*

sorpresa (f.) *surprise*

sort (f.) *(good) luck;* per sort *luckily*

sortida (f.) *way out, exit, departure*

sortir* *to leave, to go out, to appear*

sostre (m.) *ceiling*

sota (a) *beneath, below;* a sota (de) *underneath, under*

sou (m.) *salary, wage*

sovint *often*

suc (m.) *juice*

sucre (m.) *sugar*

suís/-ïssa *Swiss*

superior *higher, superior, better*

supermercat (m.) *supermarket*

tabac (m.) *tobacco*

taca (f.) *stain*

tacar *to stain*

tall (m.) *slice, piece*

talla (f.) *size*

tallat (m.) *coffee with a dash of milk*

taller (m.) *workshop*

també *also, as well, too*

tampoc *neither*

tan *so, as* (U7)

tancar *to close*

tancat/-da *closed*

tant/-a *so much* (U15); (pl), *so many;* de tant en tant *every now and then;* i tant! *definitely!*

tard *late*

tarda (f.) *afternoon*

tardar *to delay, to take time*

targeta (f.) *card*

tarifa (f.) *tariff*

taronja (f.) *orange*

taula (f.) *table*

taulell (m.) *counter*

tauleta (f.) *bedside table*

te (m.) *tea*

teatre (m.) *theatre, drama*

tema (m.) *subject*

tempesta (f.) *storm*

temporada (f.) *season*

temps (m.) *time; weather*

tenir* *to have;* tenir … anys *to be … (years old);* tenir lloc *to happen, to take place*

tenyit/-da *dyed*

termini (m.) *end, term, time limit*

terra (m.) *floor*

terra (f.) *earth, land*

terrassa (f.) *large balcony area, open verandah*

texans (m. pl.) *jeans*

tia (f.) *aunt*

tímid/-a *shy, timid*

tipus (m.) *type, kind*

tiquet (m.) *ticket*

tirar *to throw; to shoot; to pull; to push;* tirar fotos *to take photos*

tocar *to touch; to be one's turn; to play (instrument)*

tomàquet (m.)/tomata (f.) *tomato*

tombar *to turn*

tònica (f.) *tonic (water)*

tonyina (f.) *tuna*

tornada (f.) *return, journey back*

tornar *to return, to come back; to give back;* tornar a + inf. *to … again*

torrada (f.) *toast*

tot/-a *all*

tot *everything; completely;* tot i que *although;* tot plegat *all together;* tot seguit *next, immediately afterwards;* i tot *even*

tothom *everybody*

tots dos/totes dues *both*

tovalló (m.) *serviette, napkin*

tovallola (f.) *towel*

tractar-se *to be about, to involve*

tramuntana (f.) *northerly wind*

tramvia (m.) *tram*

tranquil·litzar-se *to calm down*

transferència (f.) *transfer*

trànsit (m.) *traffic*

travessar *to cross*

treball (m.) *work*

treballador/-a (m./f.) *worker*

treballar *to work; to knead*

tren (m.) *train*

trencar *to break*

treure* *to remove, to take off, to take out*

trimestre (m.) *term*

trist/-a *sad*

trobada (f.) *meeting*

trobar *to find*

trobar-se *to meet; to feel, to be*

trompeta (f.) *trumpet*

tronar *to thunder*

trucar *to call, to knock; to telephone*

truita (f.) *omelette*

ui! *oh!*

ull (m.) *eye*

ulleres (f. pl.) *glasses*

untar *to spread*

útil *useful, usable*

utilitzar *to use*

vaca (f.) *cow*

vacances (f. pl.) *holidays*

vainilla (f.) *vanilla*

vaixell (m.) *ship*

valent/-a *brave*

valer* *to be worth, to cost*

valor (m.) *value*

valorar *to value*

valuós/-osa *valuable*

vedella (f.) *calf, veal, beef*

vegada (f.) *time*

veí/-ïna (m./f.) *neighbour*

vell/-a *old*

venda (f.) *sale, selling*

vendre* *to sell*

venir* *to come;* venir de gust *to appeal > to feel like, to fancy;* l'any que ve *next year*

vent (m.) *wind*

ventre (m.) *stomach*

verd/-a *green, unripe*

verdureria (f.) *greengrocer's (shop)*

verdures (f. pl.) *(green) vegetables*

veritat (f.) *truth*

vermell/-a *red*

vespre (m.) *evening*

vessar *to spill*

vestir *to dress;* vestir-se *to dress, to get dressed*

vestit (m.) *dress*

veure* *to see;* a veure *let's see*

vi (m.) *wine*
via (f.) *line, way*
vianant (m./f.) *pedestrian*
viatge (m.) *journey, trip*
viatjar *to travel*
vida (f.) *life*
vidre (m.) *(pane of) glass, window*
vinagre (m.) *vinegar*
vinent *next*
visita (f.) *visit*
vista (f.) *view*
viure* *to live*

voler* *to want;* voler dir *to mean*
volt (m.) *walk, ride*
volta (f.) *stroll*
al voltant (de) *around*
voltar *to go around*
(a la) vora (de) *nearby, near (to), close (to)*

xai (m.) *lamb*
xerrar *to chat*
xicot/-a (m./f.) *boy/girl; boyfriend/girlfriend*
xocolata (f.) *chocolate*

English–Catalan vocabulary

This list is devised as a selective, ready means of access, via English, to the basic vocabulary related to the topic areas of the course. It will not serve as a substitute for a dictionary or even for a reliable phrase-book: see **Taking it further**. See also the preliminary remarks to the Catalan–English vocabulary.

a, an *un/una*
(to be) able to *poder**
(to be) about to *estar* a punt de*
above *sobre, damunt (de)*
abroad *a l'estranger* (m.)
to accompany *acompanyar*
according to *segons*
account *compte* (m.)
across *a través de*
address *adreça* (f.)
advice *consell* (m.)
(to be) afraid (of) *tenir* por (de)*
after *després de*
afternoon *tarda* (f.)
afterwards *després, llavors*
again *de nou, un altre cop;* >
  tornar a; never again *mai més*
age *edat* (f.)
ago *fa* (U10)
to agree *estar* d'acord;* agreed
  d'acord, entesos
airport *aeroport* (m.)
all *tot/-a*
to allow *permetre, deixar*
almost *gairebé*
alone *sol/-a*
along *per, al llarg de*
already *ja*
also *també*

although *encara que*
always *sempre*
among *entre*
amount *quantitat* (f.)
amusing *divertit/-da*
and *i*
angry *enfadat/-da*
another *un/-a altre/-a*
answer *resposta* (f.);* to answer
  respondre, contestar
any *algun/-a;* (question or
  negative), *gens (de), cap* (U6)
anyone *algú;* (after negative)
  ningú
apartment *apartament* (m.), *pis*
  (m.)
appointment *cita* (f.)
arrival *arribada* (f.)
as *com; tan;* as far as *fins a;* as
  much ... as *tant/-a ... com;* as
  soon as *així que*
to ask *preguntar;* to ask for,
  demanar
at *a;* at all (with negative) *gens*
at least *almenys*
to attend *assistir*
aunt *tia* (f.)
away *(a) fora;* to go away
  marxar, anar-se'n*

back *esquena* (f.)
bad *dolent/-a, mal/-a*
bag *bossa* (f.)
baker *forner* (m.)
bank *banc* (m.)
bathroom *bany* (m.)
to be *ser*, estar** (U5, 12, 16)
beach *platja* (f.)
because *perquè*
beer *cervesa* (f.)
before *abans; abans de/que*
to begin *començar*
behind *darrere (de)*
to believe *creure**
better, best *millor*
between *entre*
big *gran; gros/-sa*
bill *compte* (m.), *factura* (f.)
birthday *aniversari* (m.)
a bit *una mica*
black *negre/-a*
blouse *brusa* (f.)
blue *blau/-va*
boat *barca* (f.), *vaixell* (m.)
to boil *bullir*
book *llibre* (m.)
to book *reservar*
to be born *néixer**
both *ambdós/dues*
bottle *ampolla* (f.)
bottom *fons* (m.)
box *caixa* (f.), *capsa* (f.)
boy *noi* (m.); little boy *nen* (m.)
bread *pa* (m.)
to break *trencar*
breakfast *esmorzar* (m.)
bricklayer *paleta* (m./f.)
bridge *pont* (m.)
to bring *portar, dur**
brother *germà* (m.)
brother-in-law *cunyat* (m.)
brown *marró*
to build *construir*
building *edifici* (m.)
bus *autobús* (m.)
business *comerç* (m.), *negoci* (m.)
but *però*
butcher *carnisser/-a* (m./f.)
to buy *comprar*

by *per, de; amb* (transport)

café *cafeteria* (f.)
to call *cridar;* to be called
    dir-se*
camera *màquina (fotogràfica)* (f.)
can (to be able) *poder**
capital (city) *capital* (f.)
car *cotxe* (m.)
car park *aparcament* (m.),
    pàrquing (m.)
to carry *portar, dur*;* to carry on
    seguir
castle *castell* (m.)
to catch *agafar*
cathedral *catedral* (f.)
ceiling *sostre* (m.)
cent *cèntim* (m.)
chair *cadira* (f.)
champagne *xampany* (m.)
change *canvi* (m.)
to change *canviar*
to charge *cobrar*
to chat *xerrar*
cheap *barat/-a, econòmic/-a*
cheerful *alegre/-a*
chemist's shop *farmàcia* (f.)
cheque *taló* (m.)
chicken *pollastre* (m.)
children *nens* (m. pl.); (sons and
    daughters) *fills* (m. pl.)
to choose *escollir, triar*
Christmas *Nadal* (m.)
church *església* (f.)
cinema *cine(ma)* (m.)
city *ciutat* (f.)
class, classroom *classe* (f.)
clean *net/-a*
to clean *netejar*
clear *clar/-a*
clerk *empleat/-da* (m./f.),
    dependent/-a (m./f.)
climate *clima* (m.)
clock *rellotge* (m.)
to close *tancar*
clothes *roba* (f.)
cloud *núvol* (m.)
coast *costa* (f.)
coffee *cafè* (m.)

cold *fred/-a*; to be/feel cold
  tenir* fred; (weather), *fer* fred*
to come *venir**; to come in
  entrar; to come out, *sortir**
computer *ordinador* (m.)
to continue *seguir, continuar*
cool *fresc/-a*
(street) corner *cantonada* (f.)
to cost *valer*, costar*
cotton *cotó* (m.)
to count *comptar*
country *país* (m.)
couple (things) *parell* (m.);
  (people) *parella* (f.)
cousin *cosí/-na* (m./f.)
to cross *travessar*
cup *tassa* (f.)
cupboard *armari* (m.)
curtain *cortina* (f.)
customer *client/-a* (m./f.)
to cut *tallar*

dangerous *perillós/-osa*
dark *fosc/-a*; (hair/skin) *morè/ena*
date *data* (f.)
day *dia* (m.); next day *endemà*
  (m.)
to decide *decidir*
delay *retard* (m.)
to be delighted *alegrar-se*
to deliver *distribuir*
to deny *negar*
to depart *partir, marxar, anar-
  se'n**
departure *sortida* (f.)
to depend (on) *dependre* (de)
to deposit *dipositar*
detail *detall* (m.)
to die *morir*
difficult *difícil*
to dine *dinar*
dining room *menjador* (m.)
direction *direcció* (f.)
dirty *brut/-a*
disagreeable *antipàtic/-a*
discount *descompte* (m.)
to discuss *discutir, debatre*
dish *plat* (m.)
district *barri* (m.)

to do *fer**
doctor *metge/-essa* (m./f.)
dog *gos* (m.)
door *porta* (f.)
double *doble*
doubt *dubte* (m.); no doubt *sens
  dubte*
down *avall*
dozen *dotzena* (f.)
drawer *calaix* (m.)
to dress *vestir*; to get dressed
  vestir-se
drink *beguda* (f.)
to drink *beure**
dry *sec/-a*
to dry *eixugar; assecar*
during *durant*

each *cada*
ear *orella* (f.)
early *aviat, d'hora*
to earn *guanyar, cobrar*
easy *fàcil*
to eat *menjar*
egg *ou* (m.)
empty *buit/-da*
end fi (f.), *final* (m.), *cap* (m.)
to enjoy oneself *divertir-se*
enough *prou, bastant*
to enter *entrar (a)*
entrance *entrada* (f.)
envelope *sobre* (m.)
even *fins i tot*
evening *vespre* (m.)
ever *mai, alguna vegada*
every *cada; tots/-es*
everybody/everyone *tothom*
everything *tot, tot el que*
exactly (time) *en punt*
to exchange *canviar*
to excuse *perdonar*
exercise *exercici* (m.)
exhibition *exposició* (f.)
expense *despesa* (f.)
expensive *car/-a*
to explain *explicar*
eye *ull* (m.)

fact *fet* (m.); in fact, *de fet*

factory *fàbrica* (f.)
fair *just/-a;* (hair, etc) *ros/-sa*
to fall *caure**
family *família* (f.)
famous *famós/-a*
far, far away *lluny;* as far as *fins a*
farm(house) *mas* (m.), *masia* (f.)
farmer *pagès* (m.), *agricultor* (m.)
fast *ràpid/-a*
father *pare* (m.)
to fear *tenir* por de*
festival *festa* (f.)
to fetch *anar* a buscar*
fever *febre* (f.)
few *pocs/-ques;* a few *uns/-es quants/-es*
fiancé/e *promès/-esa* (m./f.)
field *camp* (m.), *prat* (m.)
finally *per fi*
to find *trobar*
to finish *acabar; enllestir;* (work) *plegar*
firm *ferm/-a;* (company) *empresa* (f.)
first *primer/-a*
fish *peix* (m.)
flavour *gust* (m.)
floor *terra* (m.)
flu *grip* (f.)
fog *boira* (f.)
to follow *seguir*
food *menjar* (m.)
foot *peu* (m.)
football *futbol* (m.); football ground *camp* (m.) *de futbol*
for *per, per a* (U9)
foreign(er) *estranger/-a*
to forget *oblidar, descuidar-se (de)*
fortnight *quinzena* (f.)
free *lliure;* (no charge) *gratuït/-a*
French *francès/-esa*
fresh *fresc/-a; natural*
friend *amic/-ga* (m./f.)
from *de, des de*
in front (of) *davant (de)*
frontier *frontera* (f.)
fruit *fruita* (f.)

full *ple/-na*
fun(ny) *divertit/-da*
furniture *mobles* (m. pl.)

game *joc* (m.), *partit* (m.)
garage *garatge* (m.)
garden *jardí* (m.)
gentleman *senyor* (m.)
to get off/out of (vehicle) *baixar de;* to get on (vehicle), *pujar a;* to get up *llevar-se, aixecar-se*
girl *noia* (f.); little girl *nena* (f.)
to give *donar;* (as present), *regalar;* to give back *tornar*
glass (material) *vidre* (m.); *got* (m.), *vas* (m.); (with stem) *copa* (f.); (spectacles) *ulleres* (f. pl.)
to go *anar*;* to go away/off *anar-se'n*;* to go back *tornar;* to go down *baixar;* to go in(to) *entrar a;* to go out *sortir*;* to go up *pujar;* to go up to (approach) *acostar-se a*
gold *or* (m.)
good *bo(n)/-a* (U4); good morning *bon dia*
goodbye *adéu;* to say goodbye to *acomiadar-se de*
government *govern* (m.)
grandfather/mother *avi/àvia* (m./f.)
grandson/daughter *nét/-a* (m./f.)
to be grateful for *agrair*
great *gran*
green *verd/-a*
to greet *saludar*
grey *gris/-a*
ground *terra* (m.)
to grow *créixer*
guide *guia* (m./f.)
guidebook *guia* (f.)

hair *cabell* (m.), *pèl* (m.)
half *meitat* (f.); *mig/-tja*
ham *pernil* (m.)
hammer *martell* (m.)
hand *mà* (f.), by hand *a mà*
to hang *penjar*

happy *content/-a; feliç*
hard *dur/-a; difícil*
to harm *perjudicar*
hat *barret* (m.)
to have *tenir**; (auxiliary) *haver**;
  to have just *acabar de*; to have
  left > *quedar* (U6); to have to,
  must, *haver* de* (U14)
head *cap* (m.)
headache *mal de cap* (m.)
health *salut* (f.)
to hear *sentir*
heart *cor* (m.)
heat *calor* (f.)
to heat (up) *escalfar*
heating *calefacció* (f.)
height *alçada* (f.)
hello *hola*; (on phone) *digui?*
help *ajuda* (f.)
to help *ajudar*
here *aquí*; here is *aquí tens*; here
  (you are) *té, tingui*
to hide *amagar*
high *alt/-a*
hire charge *lloguer* (m.)
to hire *llogar*
history *història* (f.)
to hit *pegar*
to (take) hold (of) *agafar*; to hold
  (party, etc.) *celebrar*
hole *forat* (m.)
holidays *vacances* (f.pl.)
home *casa* (f.); at home *a casa*
hot *calent/-a*; to be/ feel hot;
  tenir* calor; to be hot (weather),
  fer* calor
hour *hora* (f.)
house *casa* (f.)
how *com*; how ...! *que ...!*; how
  much *quant/-a*; how many,
  quants/-es
however *però*
hunger *gana* (f.)
to be hungry *tenir* gana*
hurry *pressa* (f.); to be in a hurry,
  tenir*/portar pressa; hurry up!
  apa!, au!, corre!, afanya't
husband *marit* (m.)

ice cream *gelat* (m.)
if *si*
ill *malalt/-a*
immediately *de seguida, tot seguit*
to improve *millorar*
in *a, en*; (transport), *amb*
in front of *(al) davant (de)*
in this/that way *així*
to injure *ferir*
inside *(a) dins/dintre (de)*; inside
  out *al revés*
instead of *en comptes de*
to introduce (people) *presentar*
to invite *invitar, convidar*
iron *ferro* (m.); (smoothing)
  planxa (f.)
to iron *planxar*

jacket *jaqueta* (f.), *americana* (f.)
journey *viatge* (m.)
juice *suc* (m.)
to jump *saltar*
just (only) *només*; to have just
  acabar de

to keep *guardar; quedar-se*; to
  keep quiet *callar*; to keep ...-ing,
  anar*/seguir/continuar + gerund
  (U5)
key *clau* (f.)
to kill *matar*
kilo(gram) *quilo(gram)* (m.)
kilometre *quilòmetre* (m.)
kind (sort/type) *mena* (f.), *tipus*
  (m.)
kind *amable*
king *rei* (m.)
kitchen *cuina* (f.)
knife *ganivet* (m.)
to know *saber*, conèixer**

lady *senyora* (f.)
language *llengua* (f.), idioma (m.)
last *últim/-a, darrer/-a*
to last *durar*
late *tard; tardà/-ana*; ... later *al
  cap de ...*; to be late *fer* tard,
  arribar amb retard*
latest *últim/-a, darrer/-a*

lavatory WC (m.), *lavabo* (m.)
to lead *conduir, portar*
leaf *fulla* (f.); (paper) *full* (m.)
to learn *aprendre**
leather *pell* (f.), *cuir* (m.)
to leave *partir, sortir*, marxar,
  anar-se'n*; deixar*
left *esquerra/-a;* on the left *a
  l'esquerra/ a mà esquerra*
to have left > *quedar* (U6); to be
  left over *sobrar*
leg *cama* (f.)
to lend *deixar*
less *menys;* less than *menys de*
lesson *lliçó* (f.)
to let (allow) *deixar, permetre*
letter *carta* (f.)
library *biblioteca* (f.)
lift *ascensor* (m.)
light *llum* (f.); (lamp) *llum* (m.)
light *lleuger/-a*
like *com;* like this/that *així*
to like > *agradar* (U6)
likeable *simpàtic/-a*
line *línia* (f.)
to listen (to) *escoltar*
little *petit/-a;* (quantity) *poc/-a;* a
  little *una mica*
to live *viure**
lively *viu/-va, animat/-da*
long *llarg/-a*
to look (at) *mirar;* to look for
  buscar; to look like *semblar*
to lose *perdre*
a lot *molt; molt/-a (de)*
to love *estimar*
luck *sort* (f.)
luggage *equipatge* (m.)
lunch *dinar* (m.); to have lunch
  dinar

machine *màquina* (f.)
magazine *revista* (f.)
majority *majoria* (f.)
to make *fer**
man *home* (m.)
manager *director* (m.), *gerent*
  (m.)
many *molts/-es*

market *mercat* (m.)
married *casat/-da*
match *partit* (m.); (ignition) *llumí*
  (m.)
matter *qüestió* (f.), *assumpte* (m.)
to matter *importar, tenir*
  importància;* it doesn't matter *no
  importa, no hi fa res*
mayor *alcalde* (m.)
meal *àpat* (m.)
to mean *voler* dir;* (intend)
  voler*, pensar
means *mitjà* (m.)
meat *carn* (f.)
to meet *trobar, trobar-se; reunir-
  se; conèixer**
meeting *reunió* (f.)
to mend *arreglar, adobar*
midday *migdia* (m.)
middle *mig* (m.), *centre* (m.)
mile *milla* (f.)
minute *minut* (m.)
mirror *mirall* (m.)
Miss *senyoreta* (f.)
to miss *perdre*
mist *boira* (f.)
to mix *barrejar*
money *diners* (m. pl.)
month *mes* (m.)
more *més*
morning *matí* (m.); good morning
  bon dia
most *més; majoria* (f.), *gairebé
  tots/-es;* > *-íssim/-a* suffix (U6)
mother *mare* (f.)
motorbike *moto* (f.)
motorway *autopista* (f.)
mountain *muntanya* (f.)
mouth *boca* (f.)
to move *moure*
much *molt/-a*
museum *museu* (m.)
must *haver* de* (U14);
  (probability), *deure** (U9)

name *nom* (m.); (family) *cognom*
  (m.)
narrow *estret/-a*
near (to) *(a) prop (de), (a la) vora*

(de)
to need *necessitar*; > *caldre**
(U15); *fer* falta*
neighbour *veí/-ïna* (m./f.)
neither *tampoc; ni*
nephew *nebot* (m.)
nervous *nerviós/-osa*
never *(no)* ... *mai*
new *nou/-va*
news *notícies* (f. pl.)
newspaper *diari* (m.)
next *després, llavors; proper/-a,
pròxim/-a; entrant, vinent*
next day *endemà* (m.)
nice *simpàtic/-a, amable,
agradable; bonic/-a*
niece *neboda* (f.)
night *nit* (f.)
nil *zero*
no *no*
nobody/no one *ningú*
noise *soroll* (m.)
none (at all) *no* ... *gens; no* ... *cap*
(U6)
nose *nas* (m.)
not *no;* not at all *no* ... *gens;* not
very (much) *no* ... *gaire*
notebook *llibreta* (f.)
nothing *(no)* ... *res*
notice *avís* (m.)
to notice *fixar-se en*
to notify *avisar*
now *ara;* right now *ara mateix*
number *número* (m.); (quantity)
nombre (m.)

occasionally *de tant en tant*
of *de*
offer *oferir*
office *despatx* (m.), *oficina* (f.)
often *sovint*
oil *oli* (m.)
old *vell/-a; antic/-ga;* to be ...
years old *tenir** ... *anys*
on *a, en; sobre, damunt;*
on(wards) *endavant;* on the
other hand *en canvi;* on the
contrary *al contrari*
once *una vegada, un cop*

onion *ceba* (f.)
only *només, únic/-a*
open *obert/-a*
to open *obrir**
opposite *contrari/-ària;* (just)
davant de
or *o*
order *ordre* (m.); in order to *per*
+ infinitive
to order *demanar, encarregar;
manar*
to organize *organitzar, muntar;
arreglar*
other *altre/-a*
ought (to) *haver* de* (U14)
out(side) *(a) fora (de)*
over *(per) damunt (de);* (quantity)
més de
overcoat *abric* (m.)
own *propi/-òpia*
to own *posseir*

to pack (bag, case) *fer* la
maleta*
packet *paquet* (m.)
to paint *pintar*
painting *pintura* (f.)
paper *paper* (m.)
parcel *paquet* (m.)
parents *pares* (m. pl)
to park *aparcar, estacionar*
party *festa* (f.)
to pass *passar;* (exam) *aprovar*
passport *passaport* (m.)
path *camí* (m.)
to pay (for) *pagar;* to be paid
cobrar
peaceful *tranquil/-l·la*
peach *préssec* (m.)
(ball-point) pen *bolígraf* (m.),
boli (m.)
pencil *llapis* (m.)
people *gent* (f.), *persones* (f.pl.)
perhaps *potser*
permission *permís* (m.)
person *persona* (f.)
petrol *benzina* (f.), *gasolina* (f.)
photo(graph) *foto(grafia)* (f.)
picture *quadro* (m.), *quadre* (m.)

pie *pastís* (m.)

piece *tros* (m.); *peça* (f.)

pity *llàstima* (f.)

place *lloc* (m.)

plan *projecte* (m.)

to play *jugar;* (instrument) *tocar*

pleasant *agradable*

please *si us plau/sisplau, per favor*

pleased *content/-a*

pleasure *gust* (m.), *plaer* (m.)

pocket *butxaca* (f.)

police *policia* (f.); policeman/woman *policia* (m./f.); police station *comissaria* (f.)

poor *pobre/-a*

post *correu* (m.); post box *bústia* (f.); post office *(oficina de) correus*

to post *portar a correus, tirar a la bústia*

postcard *postal* (f.)

potato *patata* (f.)

pound (sterling) *lliura* (f.) *esterlina*

to prefer *estimar-se més, preferir*

present *regal* (m.)

pretty *bonic/-a*

price *preu* (m.)

prize *premi* (m.)

pupil *alumne/-a* (m./f.)

to push *empènyer*

to put *posar;* to put on (light) *encendre;* (clothes) *posar-se;* to put back *tornar;* to put in *tirar, ficar*

quarter *quart* (m.)

question *pregunta* (f.);* (matter, point), *qüestió* (f.)

quick *ràpid/-a*

quiet to be(come) quiet, to keep quiet *callar*

railway *ferrocarril* (m.)

rain *pluja* (f.)

to rain *ploure**

rather *més aviat*

to reach (arrive) *arribar*

to read *llegir*

ready *llest/-a, preparat/-da*

to realize *adonar-se (de)*

really *de debò*

reason *raó* (f.);* *motiu* (m.)

to receive *rebre*

to recognize *conèixer*, reconèixer*

record *disc* (m.)

red *vermell/-a, roig/-ja;* (wine) *negre/-a*

to refuse to *negar-se a*

relative *parent/-a* (m./f.)

to remember *recordar(-se de)*

to remind *recordar*

reply *resposta* (f.)

to reply *respondre, contestar*

to rest *descansar*

result *resultat* (m.)

to return *tornar*

rice *arròs* (m.)

rich *ric/-a*

right *dret* (m.); *dret/-a;* on the right(-hand side) *a la/mà dreta;* to be (all) right *estar* bé;* to be right *tenir* raó*

road *carretera* (f.)

room *habitació* (f.), *sala* (f.)

rubbish *escombraries* (f. pl.)

to run *córrer**

sad *trist/-a*

salary *sou* (m.)

same *mateix/-a; igual*

sandwich *entrepà* (m.)

to save *salvar; estalviar*

savings bank *caixa* (f.) *d'estalvis*

to say *dir**

school *escola* (f.), *col·legi* (m.)

sea *mar* (m./f.)

seaside *platja* (f.)

secretary *secretari/-ària* (m./f.)

to see *veure**

to seem *semblar*

to sell *vendre**

to send *enviar, trametre*

serious *greu; seriós/-osa*

several *diversos/-es; uns/-es quants/-es*

shade *ombra* (f.)
to shave *afaitar(-se)*
sheet *llençol* (m.)
to shine *brillar*
ship *vaixell* (m.)
shirt *camisa* (f.)
shoe *sabata* (f.)
shop *botiga* (f.)
shopping *compra* (f.); to go shopping *anar* a comprar*
to show *ensenyar*
to shut *tancar;* to shut up *callar*
silk *seda* (f.)
silly *ximple/-a*
simple *senzill/-a*
since (reason) *com que, ja que;* (time) *des de/que*
to sing *cantar*
single *sol/-a;* (unmarried) *solter/-a*
to sit (down) *seure**
sitting (seated) *assegut/-da*
size *mida* (f.), *talla* (f.)
skin *pell* (f.)
skirt *faldilla* (f.)
to sleep *dormir*
to be/feel sleepy *tenir* son*
slow *lent/-a*
small *petit/-a*
to smile *somriure*
to smoke *fumar*
(afternoon) snack *berenar* (m.)
snow *neu* (f.)
to snow *nevar*
so *així; tan;* so much *tant/-a;* so many *tants/-es*
soap *sabó* (m.)
sock *mitjó* (m.)
some *uns/-es; alguns/-es*
somebody, someone *algú*
something *(alg)una cosa*
sometimes *a/de vegades*
son *fill* (m.)
song *cançó* (f.)
soon *aviat*
to be sorry *sentir; > saber* greu*
sort *mena* (f.)
soup *sopa* (f.)
to speak *parlar*
to spend *despendre, gastar(-se);*

(time) *passar*
spoon *cullera* (f.)
square *plaça* (f.)
stairs *escala* (f.)
stamp *segell* (m.)
station *estació* (f.)
to stay *estar(-se)*, quedar(-se)*
still *encara*
stocking *mitja* (f.)
stone *pedra* (f.)
stop *parada* (f.)
to stop *parar*
storey *pis* (m.), *planta* (f.)
straight *dret/-a, recte/-a;* straight away *de seguida*
strange *estrany/-a*
stranger *foraster/-a* (m./f.)
street *carrer* (m.)
to stroll *passejar(-se)*
strong *fort/-a*
to study *estudiar*
to succeed *tenir* èxit*
to suffer *patir*
suitcase *maleta* (f.)
sun *sol* (m.); to be sunny *fer* sol*
supermarket *supermercat* (m.)
supper *sopar* (m.)
sure *segur/-a*
surname *cognom* (m.)
sweater *suèter* (m.), *jersei* (m.)
to sweep *escombrar*
sweet *dolç/-a;* (dessert) *postres* (f. pl.)

table *taula* (f.)
tablet *pastilla* (f.)
to take *prendre*, agafar; portar*
to take away *endur-se*, emportar-se;* to take back *tornar;* to take off (clothes) *treure's*;* to take out (off, from, etc.: to remove) *treure**
to talk *parlar*
tank *dipòsit* (m.)
to taste *tastar*
tax *impost* (m.)
tea *te* (m.)
teacher *professor/-a* (m./f.)
telephone *telèfon* (m.)

to (tele)phone *telefonar, trucar*
thank you, thanks *gràcies*
to thank *agrair*
that (conjunction) *que; això, allò*
theatre *teatre* (m.)
then *aleshores, llavors; doncs*
there *allí*; there is/are *hi ha*
thick *espès/-essa, gruixut/-da*
thief *lladre* (m./f.)
thin *prim/-a*
thing *cosa* (f.)
to think *pensar; creure*;* >
  semblar (U6)
to be thirsty *tenir* set*
this *això*
through *per, a través de*
to throw *tirar, llançar*; to throw
  away *llençar*
ticket *bitllet* (m.); (admission)
  entrada (f.)
time *temps* (m.); *vegada* (f.), *cop*
  (m.); *hora* (f.); what time is it?
  quina hora és? (U3)
tip *propina* (f.)
tired *cansat/-da*
to *a, cap a*
tobacco *tabac* (m.)
tobacconist's (shop) *estanc* (m.)
today *avui*
together *junt/-a*
tomato *tomàquet* (m.), *tomata* (f.)
tomorrow *demà*; day after
  tomorrow *demà passat*
too (also) *també*; too (much)/too
  many *massa*
tool *eina* (f.)
tooth *dent* (f.), *(molar), queixal*
  (m.)
top *capdamunt* (m.); on top of
  damunt (de); at the top *a dalt*
to touch *tocar*
tourist *turista* (m./f.)
towards *cap a*
towel *tovallola* (f.)
tower *torre* (f.)
town *ciutat* (f.), (small) *poble*
  (m.)
town hall *ajuntament* (m.)
traffic lights *semàfor* (m.)

train *tren* (m.)
to travel *viatjar*
tree *arbre* (m.)
trousers *pantalons* (m. pl.)
true *cert/-a; (és) veritat*
to trust *fiar-se (de)*
truth *veritat* (f.)
to try *provar*; to try to *provar de,*
  intentar de; to try on *emprovar-*
  se
to turn *tombar, girar*
twice *dos cops, dues vegades*

ugly *lleig/-tja*
umbrella *paraigua* (m.)
uncle *oncle* (m.)
under *(a) sota (de), davall (de)*
underground *metro* (m.)
to understand *comprendre,*
  entendre
unless *si no*
until *fins (a), fins que*
up *amunt*
to use *emprar, utilitzar, fer**
  servir
useful *útil*

very *molt;* > *-íssim/-a* (suffix); not
  very *no ... gaire*
view *vista* (f.)
village *poble* (m.)
visit *visita* (f.)
to visit *visitar*
voice *veu* (f.)

to wait (for) *esperar*
waiter *cambrer/-a* (m./f.)
to wake up *despertar-se*
to walk *caminar, anar* a peu*
wall *paret* (f.)
wallet *cartera* (f.)
to want *voler*; tenir ganes de*
to wash *rentar(-se)*
washing machine *rentadora* (f.)
watch *rellotge* (m.)
to watch *mirar*
water *aigua* (f.)
way *camí* (m.); (manner) *manera*
  (f.)

weak *dèbil; fluix/-a*
to wear *portar, dur**
weather *temps* (m.)
week *setmana* (f.)
to weigh *pesar*
weight *pes* (m.)
well *bé; doncs*
wet *mullat/-da*
what? *què?; quin/-a; el que*
wheel *roda* (f.)
when *quan*
where *on, a on*
whether *si*
which *que;* which? *quin/-a?*
while *mentre*
white *blanc/-a*
who? *qui?*
whole *tot/-a; sencer/-a*
why? *perquè?*
wide *ample/-a*
widow *vidu/vídua* (m./f.)
wife *dona* (f.), *esposa* (f.), *muller*
  (f.)
to win *guanyar*
window *finestra* (f.)
wine *vi* (m.)
with *amb*
within *(a) dins (de)*
without *sense*

woman *dona* (f.)
to wonder *preguntar-se*
wood *fusta* (f.); (forest) *bosc* (m.)
wool *llana* (f.)
word *paraula* (f.)
work *feina* (f.), *treball* (m.); *obra*
  (f.)
to work *treballar; funcionar*
workshop *taller* (m.)
world *món* (m.)
worse *pitjor*
to be worth *valer**; to be
  worthwhile *valer* la pena*
to wrap (up) *embolicar*
to write *escriure**
to be wrong *equivocar-se;* what is
  wrong? *què passa?*

year *any* (m.)
yellow *groc/-ga*
yes *sí*
yesterday *ahir;* day before
  yesterday *abans-d'ahir*
yet *encara; ja* (U7)
young *jove;* young lady *senyoreta*
  (f.); young people *joventut* (f.),
  joves (m. pl.); younger/youngest
  (brother/sister) *(més) petit/-a*

index

Numbers refer to units (e.g. 13=Unit 13); letters or symbols refer to Grammar or other sections (e.g. 9B=Unit 9, Grammar section B); RT=Reference tables.